Collection Aventures & Compagnie

Laurier Macdonald (F.)

Du même auteur, chez SMBi :

Collection Aventures & Compagnie :
Une étrange disparition

Collection S.O.S. :
L'Amour à mort

Collection Passeport pour l'amour :
Top-model

Aussi disponibles dans
la Collection Aventures & Compagnie :

1. *Alerte dans le métro*
2. *Une étrange disparition*
4. *La Tempête du siècle*

Corinne De Vailly

La Falaise aux trésors

Collection Aventures & Compagnie

L'éditeur tient à remercier monsieur Jean-Maurice Meilleur pour son aimable collaboration.

Réalisation de la couverture : Zapp
Illustration : Georgeta Pusztai
Révision : Sylvie Prieur
Correction : Brigitte Beaudry
Pelliculage : Litho Montérégie
Impression : Interglobe
Diffusion : Diffulivre, (514) 738-2911

La Falaise aux trésors
© Corinne De Vailly, 1997
© Les Éditions SMBi inc., 1997
Tous droits réservés

Toute reproduction, totale ou partielle, par quelque moyen que ce soit, est strictement interdite sans l'autorisation de l'Éditeur.

Dépôts légaux : 4e trimestre 1997
Bibliothèque nationale du Québec
Bibliothèque nationale du Canada
ISBN 2-921884-04-6
Imprimé au Canada

Les Éditions SMBi inc.
Montréal (Québec) Canada

À Robin, Camille et Félix

On ne va jamais aussi loin
que lorsque l'on ne sait pas où l'on va

Oliver Cromwell (1599-1658)

1

En route, la troupe !

Les oreilles de Mickey s'agitent : le réveille-matin sonne, six heures s'affichent au cadran. Frédérique se précipite en bas de son lit. Ça fait longtemps qu'elle est réveillée. Elle n'attendait que le son du réveil pour s'engouffrer dans la salle de bains... avant sa sœur.

Camille ouvre la porte de sa chambre, les paupières encore lourdes de sommeil. Elle a les cheveux plaqués sur le crâne par l'humidité qui sévit déjà au tout début de cette chaude journée d'été.

— Non ! Moi, moi d'abord ! pleurniche-t-elle d'une petite voix tout endormie.

— Trop tard, Camillou ! J'y suis avant toi !

Ce disant, Frédérique claque la porte derrière elle, laissant sa sœur boudeuse, accotée contre le mur du couloir.

Le père des filles émerge à son tour dans le couloir, chevelure en bataille, l'air complètement ahuri, dans son pyjama froissé.

— Oh ! Qu'est-ce qui se passe encore ici ? interroge Jacques Deschênes en bâillant.

Dans son panier, à l'autre bout du couloir, Mousse, le chien, entrouvre un œil, s'étire de tout son long, se frotte le nez des deux pattes, puis se roule à nouveau en boule et se rendort en grognant.

— Camille, retourne au lit, il est encore trop tôt ! murmure Jacques Deschênes.

La petite dort debout. Joignant le geste à la parole, le père soulève sa fille dans ses bras et la ramène dans sa chambre. Puis, revenant à la porte de la salle de bains, il y frappe doucement.

— Frédérique, sors de là ! Il est bien trop tôt !

Mais c'est le bruit du jet de la douche qui lui répond. Fataliste, il hausse les épaules, puis se détourne pour gagner la cuisine. Un bruit de pieds traînés sur le parquet le fait pivoter. Sa femme, Isabelle, les yeux bouffis de sommeil, se dirige vers lui comme une somnambule.

— Vous faites un boucan de tous les diables ! On est en vacances, on pourrait pas dormir un peu le matin ? lance-t-elle, d'un ton bourru.

— Il faudrait dire ça à tes filles ! Je crois qu'elles ont hâte de partir. Retourne te coucher, je vais préparer le petit déjeuner.

— Maintenant que je suis debout...

Les parents Deschênes se traînent jusqu'à la cuisine, tandis que, dans la salle de bains, une voix chante à tue-tête.

✐✐✐

Quinze minutes plus tard, la porte de la salle de bains claque à nouveau derrière Frédérique. Fraîche comme une rose, fleurant bon la savonnette, elle fait irruption dans la cuisine en short et t-shirt immaculés.

Jacques et Isabelle Deschênes bâillent à s'en décrocher la mâchoire, entre deux gorgées de café brûlant. Frédérique s'installe, vive et pétillante, devant son lait au chocolat.

— Salut pa, salut m'man ! Ah, j'ai hâte de partir !

Mousse arrive, la queue entre les pattes et se dirige vers la porte arrière. Il s'assoit sagement, attendant que quelqu'un daigne lui ouvrir. Jacques et Isabelle, encore endormis, n'ont pas la force de réagir. Frédérique se lève et lui ouvre la porte.

Camille se pointe à son tour, tandis que le téléphone sonne.

— Ah, ça doit être Samuel, lance Frédérique en se jetant sur le combiné. Salut, Sam ! Ouais ! Écoute, on vient à peine de se lever, je crois qu'on devrait passer chez toi vers sept heures.

En entendant cela, Jacques Deschênes fait de grands signes en direction de sa fille.

— Ah, attends, Sam ! Papa me fait signe que ce sera huit heures. On sera chez toi vers huit heures alors, à tantôt !

— Vous êtes bien pressés, les jeunes ! commente Isabelle en tartinant une rôtie de confiture pour Camille.

— J'ai hâte d'y être m'man, répond Frédérique, en mordant à belles dents dans sa tranche de pain.

Tandis que la famille Deschênes émerge des brumes du sommeil, dehors, Mousse, vient de faire une belle découverte. Le sac à déchets dégage des odeurs très alléchantes. De ses pattes avant, Mousse gratte et gratte encore ; finalement le plastique cède et un super os de bœuf s'en dégage. Quelle aubaine !

Saisissant l'os entre ses puissantes mâchoires, Mousse pousse la porte de la cuisine de son museau. Puis, il entre dans la maison et s'installe sur la carpette, devant l'évier, où il entreprend avec méthode de gruger sa trouvaille.

Tandis que Jacques débarrasse la table, Isabelle se dirige vers la chambre de Camille.

— Allez, la puce ! Vérifions si ton sac est prêt.

— Tout est dedans m'man, répond la petite. Mais t'es sûre qu'on ne peut pas emmener Gigi ?

En entendant son nom, Gigi, le hamster, fait vibrer ses moustaches.

— Non, non, pas de Gigi au camping. On était d'accord Camille ; tu confies Gigi à Maxime Beaulieu !

— Je sais, m'man. Mais Maximum va sûrement trop lui donner à manger et ma Gigi va devenir obèse ! ajoute Camille en sortant son petit compagnon de sa cage.

— Camille, sois raisonnable. On ne part qu'une semaine, il n'aura pas le temps de transformer ta Gigi en castor, reprend Isabelle en caressant la tête de la petite bête.

— C'est toujours pareil ! Fred, elle, peut emmener Mousse et moi, je ne peux pas emmener Gigi. C'est pas juste, non, c'est pas juste !

Tout en parlant, Camille dépose un baiser sur la fourrure de son hamster, et le remet dans sa cage.

✏✏✏

Il est huit heures vingt, lorsque la Lumina des Deschênes s'arrête devant la maison des Leclerc.

Lorsqu'il a fallu déposer Gigi chez Maxime Beaulieu, Camille a versé quelques larmes. Elle n'aime pas se séparer de son petit animal favori.

Les adieux ont été déchirants et bien sûr, elle a tenté une dernière fois de faire changer d'avis à ses parents.

— Pas question, Camille ! a tranché son père. Gigi est trop petite, on va la perdre si on l'emmène avec nous. Elle sera bien mieux dans ses affaires, chez Maxime.

Finalement, Camille a dû se résigner. Mais elle en a gros sur le cœur et elle fait la tête. Elle a même refusé de s'asseoir près de la portière, elle qui, d'habitude, veut toujours voir le paysage lorsqu'ils roulent.

Et voilà pourquoi les Deschênes ont vingt minutes de retard sur l'horaire prévu. Sur le perron, Samuel attend déjà, son sac de voyage à ses pieds. Il s'élance aussitôt vers le véhicule qui s'immobilise au bord du trottoir. Sur ces entrefaites, le père de Samuel sort de la maison.

— Sois sage, Sam ! lance Yves Leclerc à l'intention de son fils déjà en train de se faufiler sur la banquette arrière, entre Mousse et Frédérique. Merci de l'emmener, ajoute-t-il en s'adressant cette fois à Jacques Deschênes. Ces petites vacances vont lui faire du bien. J'aurais tant aimé aller avec vous, mais le travail, vous savez ce que c'est...

— Ça nous fait plaisir ! répond Jacques Deschênes en relançant le moteur. Allez, en route, la troupe !

Le soir tombe sur Escuminac, en Gaspésie. Des nuages sombres dansent dans le ciel rouge et le vent fait chanter les gréements des petits bateaux ancrés dans la baie.

La Lumina des Deschênes pénètre lentement dans l'enceinte du parc de camping où ils ont réservé un petit chalet pour une semaine, plutôt que de louer une roulotte ou même de planter une tente. C'est tellement plus confortable. Jacques va chercher la clé au bureau des locations, puis il se gare devant l'une des maisonnettes de bois.

Épuisés par le long voyage, Frédérique et Samuel se sont endormis, l'un contre l'autre, tandis que Camille a déposé sa tête contre le flanc de Mousse. L'air salin de la mer a fait son effet.

Laissant les enfants dormir encore un peu, Isabelle et Jacques Deschênes conviennent de décharger la voiture. Mais Mousse ne l'entend pas ainsi. À peine la portière arrière est-elle ouverte, qu'il se lève, sans le moindre ménagement pour la tête de Camille. Évidemment, la petite se réveille aussitôt. Pendant une fraction de seconde, elle arbore un air maussade, mais

Laurier Macdonald (F.)

constatant qu'ils sont enfin arrivés, son visage s'éclaire de joie.

Mousse se précipite à l'extérieur et gambade autour des parents, manquant de faire trébucher Jacques qui, les bras chargés de plusieurs sacs de voyage, se dirige vers le chalet.

Perchée sur la rampe de l'escalier du chalet, une mouette observe les nouveaux arrivants. Mousse, intrigué par cette bestiole qui le regarde de ses petits yeux, s'élance pour l'attraper. Aussitôt, la mouette quitte son poste d'observation et s'envole vers la mer en poussant des cris de protestation.

Même si le parcours a été ponctué de plusieurs arrêts pipi pour tout le monde, le chien est heureux de retrouver la terre ferme sous ses pattes. Et il ne se prive pas pour courir partout, à la découverte de son nouvel environnement.

— Mousse, au pied ! Au pied ! crie Isabelle d'un ton qu'elle veut autoritaire.

Mais Mousse fait celui qui n'entend pas. Il y a trop à voir et à renifler dans le coin.

Frédérique et Samuel se réveillent à leur tour, étonnés d'être arrivés. Ils s'empressent aussitôt de rejoindre Camille, déjà partie à la découverte des environs.

— Ne vous éloignez pas les enfants, recommande Jacques en pénétrant dans le chalet.

Frédérique, Samuel et Camille se dirigent lentement vers une éclaircie à travers des arbres. De là, une vue imprenable sur la Baie-des-Chaleurs s'offre à eux. Un bateau croise au loin, vers le Nouveau-Brunswick.

— Wow ! J'ai hâte à demain, lance Frédérique. On va passer de super vacances !

— J'espère qu'on va faire du bateau, commente Camille.

— Et des randonnées, ajoute Samuel.

Mousse est venu les rejoindre et vagabonde aux alentours.

— Allez les enfants, à table ! appelle Isabelle.

— J'ai une faim de loup, dit Samuel.

— C'est l'air de la mer qui fait ça, répond Frédérique. C'est bien connu, le grand air, ça ouvre l'appétit.

Les trois amis se précipitent vers le chalet, avec Mousse sur leurs talons.

Sur la table, il y a tout ce qu'il faut pour calmer leur grand appétit : des fromages, du jambon, une belle salade croquante, du bon pain frais acheté en route, des jus.

Mousse, lui, regarde ses croquettes d'un air qui semble dire que, malgré le changement de décor, la nourriture reste la même.

Mais la faim l'emporte. Il se précipite sur son écuelle et la vide à grands coups de dents.

Puis, voyant que la famille ne fait pas attention à lui, le chien décide de retourner explorer son nouveau domaine. D'un coup de patte, il pousse la porte et se précipite dehors.

✐✐✐

La nuit est maintenant tombée. Les chalets éclairés des alentours diffusent une faible lumière.

— C'est drôle, le ciel paraît plus noir lorsqu'on s'éloigne des villes, dit Frédérique, le nez levé vers les étoiles.

— T'as raison ! répond Samuel en inspirant une bouffée d'air marin.

— Eh, regardez Mousse, qu'est-ce qu'il mange ? intervient Camille.

En entendant son nom, Mousse redresse les oreilles, sans pour autant cesser de grignoter un gros morceau de bois qu'il tient solidement entre ses pattes avant.

— Mousse ! Lâche ! Allez, lâche !

Frédérique tente de retirer le bâton de la gueule du chien, mais celui-ci le tient fermement et tire de son côté en frétillant de la queue. Il adore ce jeu.

Finalement, c'est la voix de Jacques Deschênes qui vient mettre un terme au tiraillement amical sous les étoiles.

— Allez, au lit tout le monde ! Demain, on a une belle journée, on va visiter le Parc de Miguasha !

— C'est quoi ça, papa, Misha ? questionne Camille, oubliant la moitié du mot en cours de route.

— Miguasha, Camille ! Et c'est une belle surprise ! Vous allez adorer ça ! Allez, au lit !

Un à un, les jeunes entrent dans le chalet. Mousse hésite un instant, puis, voyant que personne ne songe à l'obliger à laisser son bâton dehors, il rentre avec son trésor.

2

370 millions d'années plus tôt !

Le vent s'engouffre sous les chandails, faisant frissonner les visiteurs. C'est l'été, mais sur la plage au pied des falaises bleutées de Miguasha, il fait beaucoup moins chaud qu'en ville.

Les Deschênes et Samuel font crisser les morceaux de pierre sous leurs chaussures de randonnée. Parfois, une minuscule carapace de crabe éclate aussi sous leurs pas. Le rivage est balayé par les vagues de la baie qui, en se retirant, laissent une ligne d'écume blanche sur les rochers.

Le bruit du ressac emplit leurs oreilles. C'est tellement beau que personne ne trouve les mots pour dire ce qu'il ressent. Les rochers rongés par les flots ont pris des formes étonnantes : on dirait des sentinelles dressées face à la baie.

Un long escalier de bois s'ouvre devant eux. Il permet de se rendre de la plage au centre d'interprétation.

— Le dernier arrivé est une poule mouillée ! lance Samuel, en s'élançant à l'assaut des marches.

Frédérique ne se le fait pas dire deux fois et se précipite à son tour dans l'escalier. Camille, à la traîne, essaie de ne pas se faire distancer.

Quelques minutes plus tard, toute la troupe parvient à l'entrée du musée.

— J'ai bien hâte de voir les fossiles, s'exclame Frédérique, en entrant dans la salle d'exposition.

Les enfants se dirigent vers les différentes vitrines, où des fossiles de poissons retracent l'évolution du passage de la vie aquatique à la vie terrestre chez les vertébrés.

— Maman, regarde ! Il y a aussi des « vrais cils » de plantes ! s'exclame Camille, en examinant des restes de fougères figés dans la pierre.

— Des quoi, Camille ? s'étonne Isabelle en rejoignant sa plus jeune fille devant une vitrine.

— Un vrai cil ! reprend la petite, moqueuse. Pour les poissons, c'est des « faux cils », mais pour les plantes c'est des « vrais cils » !

— Camille ! Petit poison ! rigole Jacques. Encore en train de faire des jeux de mots.

— Papa, voyons, t'es pas drôle ! Faut pas dire petit poison, mais petit poisson ! continue Camille, qui trouve très amusant de déformer les mots selon les circonstances.

Samuel et Frédérique, de leur côté, tentent de lire, sans se tromper, les noms scientifiques que les chercheurs ont attribué à leurs découvertes. Ce n'est pas une mince affaire !

— *Eus-the-nop-teron foor-di*, articule Frédérique. Euh… c'est le Prince de Miguasha.

— Votre Altesse ! s'empresse d'ajouter Samuel en faisant une courbette devant la vitrine.

Après avoir regardé les centaines de spécimens exposés, les touristes sont dirigés vers une salle de projection, car la visite se poursuit par le visionnement d'un film vidéo qui explique les découvertes faites sur le site... Mais Camille ne tient pas sur son banc :

— C'est bien beau les films, mais quand est-ce qu'on va fouiller ? demande-t-elle à l'animateur qui se presse auprès des touristes.

— Plus tard. C'est la troisième partie de la visite qui se fait sur le chantier de fouilles. Après le visionnement du film, on va faire un tour dans les laboratoires, chuchote l'animateur.

Sur l'écran, des animations en trois dimensions font revivre des espèces de poissons qui ont hanté ces lieux il y a plus de 370 millions d'années. Mais cela ne semble pas du tout émouvoir Camille. L'animateur s'en rend compte et l'attire à l'écart pendant que les visiteurs écoutent le film.

— Viens, je vais te raconter une belle histoire ! lui dit-il en la faisant asseoir par terre en prenant place à ses côtés. Imagine ! Devant toi, il y a une grande plage, et tout autour des fougères immenses, très très hautes. Pas d'arbres, pas de fleurs. Au loin, il y a des volcans qui crachent de la fumée. Il fait très chaud et c'est très humide. Il n'y a pas d'oiseaux, juste quelques insectes qui bourdonnent...

— Ouach ! l'interrompt Camille, j'espère qu'il n'y a pas d'araignées !

L'animateur sourit et continue son histoire d'une voix mystérieuse :

— ... il n'y a pas d'araignées, mais par contre, il y a des maringouins. Et sur la plage, on peut voir des scorpions...

Camille fronce les sourcils et replie ses jambes sous elle, en inspectant du regard le plancher autour d'elle, comme si les bestioles allaient grouiller en plein milieu du musée. L'animateur a su capter son intérêt...

— Tout à coup, flic flac, l'eau clapote. Des centaines de poissons viennent respirer à la surface de l'eau, parce que ces poissons-là ont des poumons... Certains poissons ont des épines et d'autres des cuirasses... Parmi eux, il y a un Prince, très grand, très beau.

— C'est lui qui est là-bas dans la vitrine ! s'exclame Camille, en pointant du doigt, l'endroit où repose le fossile.

— Oui, c'est lui. Mais voilà, le Prince des poissons devient vieux, et puis un jour il meurt. Il coule alors au fond de l'eau.

— Oh ! les autres poissons vont le manger, s'inquiète Camille.

— Non, parce qu'ici, il y a des marées très puissantes. Son corps va vite être recouvert de vase. Et pendant des millions et des millions d'années, plusieurs couches de vase vont se déposer sur son corps. Au fur et à mesure, ces couches-là vont durcir pour former une roche autour du poisson. Sa chair et ses organes ont disparu, mais son squelette, lui, est resté prisonnier dans le roc.

— Et c'est toi qui l'a retrouvé, le Prince ? questionne Camille, ses yeux ronds fixant l'animateur avec admiration.

— Non, c'est pas moi, mais l'important, c'est qu'on l'ait retrouvé, tu ne penses pas ? répond l'animateur.

— Si, bien sûr. Mais comment ça se fait que les dinosaures l'ont pas attrapé, ton Prince ? continue Camille.

— Cette histoire-là s'est passée bien avant qu'il y ait des dinosaures, explique l'animateur. Il n'y avait pas grand-chose de vivant sur la terre, à ce moment-là.

— Ouf ! tant mieux, parce que ton Prince, les dinosaures en auraient fait juste une bouchée. En tout cas, elle est bien belle ton histoire, reconnaît Camille. Merci ! C'est quoi ton nom au fait ? Moi, c'est Camille !

— Moi, c'est François, répond l'animateur. Et tout à l'heure, on va aller fouiller la plage. Si on a un peu de chance, peut-être qu'on va découvrir un nouveau fossile.

Camille en reste bouche bée. Découvrir un fossile, c'est sûr que ça en boucherait un coin à Frédérique, ça !

— Faut pas raconter ton histoire aux autres, dit Camille à François. Je vais les impressionner en leur disant tout ce que tu m'as appris.

— O.K. Je ne leur dirai rien ! C'est notre secret ! souffle François en ébouriffant les cheveux de Camille.

Le film vient de s'achever, Samuel, Frédérique et les parents sont de retour dans la salle d'exposition.

— Maintenant, nous allons visiter le laboratoire, leur dit François. Nous avons monté une caméra vidéo sur l'un de nos microscopes et les détails sont projetés sur un écran. Vous pourrez ainsi examiner les fossiles de plus près.

Tout en parlant, il adresse un clin d'œil à Camille. Celle-ci se redresse de toute sa taille. Elle connaît maintenant une histoire que les autres ne savent pas. Elle a bien hâte de leur raconter tout ça, ce soir, lorsqu'ils seront de retour au chalet. Pour une fois, Frédérique ne dira pas qu'elle est trop petite pour comprendre !

Lorsque Camille et ses parents pénètrent à leur tour dans le laboratoire, Frédérique et Samuel sont déjà installés devant l'écran.

Les oh ! et les ah ! fusent de part et d'autre. À l'école, ils ont déjà eu l'occasion de se servir d'un microscope, mais c'était juste pour examiner des vestiges de leur environnement quotidien.

— C'est bien plus intéressant que d'observer un de mes cheveux, lance Samuel en se tournant vers la plaque de pierre placée sous la lentille grossissante.

François explique maintenant aux visiteurs la façon dont les spécimens sont identifiés. Des noms compliqués sont prononcés et Camille s'impatiente.

Finalement, le guide-animateur dirige son groupe vers l'extérieur. Pour Camille, c'est là que les choses intéressantes vont commencer.

Tout le groupe redescend l'escalier de bois jusqu'au bas de la falaise. Une fois sur la plage, François se lance dans une démonstration sur la façon de procéder pour dégager les plaques de pierre sans tout briser.

Frédérique et Samuel se mettent aussitôt à ramasser des morceaux de pierre qu'ils tournent et retournent entre leurs doigts.

— Ce serait bien de découvrir un fossile, dit Samuel en rejetant la banale petite roche qu'il vient de ramasser.

Camille, elle, se promène presque le nez au ras du sol. C'est peut-être là, dans un recoin, qu'un autre Prince l'attend.

— Si je trouve un Prince, qu'est-ce que je fais ? demande-t-elle à François qui est en train de manier son marteau de géologue pour faire sa démonstration.

— Voyons donc, Camille, c'est pas aussi simple que ça ! se moque Frédérique.

Mais Camille se fiche bien des moqueries de sa sœur, elle sait que François va lui répondre.

— D'abord, si tu trouves quelque chose, il faut le laisser en place, explique François. Ça nous permet d'en savoir plus sur les conditions qu'a rencontrées le fossile au cours des millions d'années.

— Si on en trouve un, est-ce qu'on peut le garder ? demande à son tour Samuel en examinant bien tous les morceaux de pierre qu'il heurte du pied.

— Non, non ! C'est interdit ! Tous les fossiles appartiennent au Parc, reprend François doucement tout en continuant sa démonstration.

C'est alors qu'un aboiement joyeux se répercute sur la falaise.

— Eh, c'est Mousse ! s'exclame Camille qui a reconnu le jappement particulier du chien de la famille.

La queue frétillante, les oreilles au vent, la langue pendante, Mousse se pointe effectivement à une centaine de mètres du groupe. En apercevant ses maîtres, il accourt au triple galop et saute tout autour d'eux, en lançant des ouah ! de joie.

— Mousse Deschênes ! Qu'est-ce que tu fais là ? gronde Frédérique.

Elle saisit son chien par son collier alors qu'il lui lèche le visage.

— C'est incroyable ! s'étonne Jacques. Il a dû casser sa corde. Je l'avais attaché près du chalet pour l'empêcher de vagabonder.

— Il y a plus de quatre kilomètres d'ici au chalet, et il nous a retrouvés ! s'exclame à son tour Isabelle. Il a vraiment un bon flair, ce chien !

— Une chance, m'man ! Imagine s'il s'était perdu !

La voix de Frédérique se brise rien que de penser à une telle éventualité. Elle serre son chien contre elle et enfouit son visage dans la fourrure soyeuse.

— Bon, eh bien, puisqu'il est là, on n'a pas le choix que de le garder avec nous. Mais la visite est finie, car les animaux sont interdits ici, tranche Jacques, un brin de mauvaise humeur dans la voix.

Tandis que François continue à expliquer les techniques de fouille à trois autres visiteurs, le petit groupe des Deschênes s'éloigne sur la plage. Camille dit aurevoir à son nouvel ami en lui faisant un signe de la main.

Heureux d'avoir retrouvé sa famille, Mousse bondit d'un côté et de l'autre, en ramassant différentes petites roches qu'il vient déposer aux pieds de sa maîtresse.

— Mousse, laisse donc les roches où elles sont ! se fâche Frédérique en lui faisant lâcher, pour la dixième fois au moins, un gros morceau de pierre bleu-gris.

— Il est vraiment rigolo ton chien, s'amuse Samuel. Il te fait des cadeaux. Regarde, le voilà avec une autre pierre dans la gueule !

La troupe se dirige vers la Lumina laissée à l'entrée du parc.

— Bon, eh bien, que diriez-vous d'aller dîner à Carleton ? propose Jacques en se glissant derrière le volant, tandis que tout le monde grimpe à bord.

— Oui, mais Mousse ? demande Frédérique en entourant son chien de ses bras.

— Pendant qu'on sera au restaurant, il nous attendra dans l'auto. Au moins, on est sûr qu'il ne sortira pas de là, répond Isabelle.

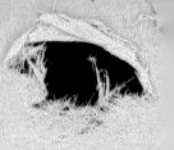

✏✏✏

Comme cela passe vite une semaine ! Frédérique, Samuel et Camille ne voient pas les jours filer. Ils visitent la région, s'émerveillent devant la blancheur des maisons qui tranche sur le bleu du ciel et de la mer, sur le vert des campagnes, le rouge et le gris des montagnes.

Le matin, la brume qui parfois enveloppe le camping, fait danser des lutins dans leur imagination. Au point qu'un jour, ils croient bien avoir des visions.

— Venez voir, venez voir ! lance soudain Camille, cachée entre les arbres.

Frédérique et Samuel se précipitent vers elle. Camille met alors un doigt sur sa bouche pour demander le silence, et pointe une masse noire sur l'eau.

Un phoque, solitaire, les regarde de ses grands yeux malicieux. Le soleil qui se lève sur l'eau fait briller son cuir. Quel superbe tableau ! Frédérique regrette de ne pas avoir d'appareil photo sous la main.

Un autre jour, ils partent à la pêche à la truite de mer. Personne n'attrape quoi que ce soit, mais la journée est fabuleuse et chacun revient avec de beaux souvenirs.

Enfin si, quelqu'un attrape quelque chose !

Mousse trouve le moyen de subtiliser quelques mouches à leur guide et cela fait bien rire tout le monde.

Mais voilà, les vacances sont terminées. Ce soir, les Deschênes et Samuel mettent de l'ordre dans leurs affaires. Demain matin, à la première heure, il faudra reprendre le chemin de la maison.

— Quelqu'un a-t-il vu ma deuxième chaussette blanche ? questionne Samuel en fouillant partout dans la chambre.

Il soulève les couvertures, jette un coup d'œil sous les lits, fouille les garde-robes de fond en comble. Aucune trace de la chaussette en question.

— Mousse, Mousse ! As-tu volé la chaussette de Samuel ? questionne Frédérique en fixant son chien au fond des yeux.

Mais le sympathique animal la regarde d'un air candide.

Et le lendemain matin...

— Quel voleur, ce Mousse ! ne peut s'empêcher de s'exclamer Samuel lorsqu'il trouve le chien couché sur sa chaussette toute sale de terre, derrière le chalet.

« Ouah ! » fait Mousse, en sautant dans la Lumina.

Puis, à grands coups de pattes, il se creuse un nid confortable dans sa couverture installée près de Frédérique.

3

Le fossile oublié

Il est tard ce soir-là lorsque les Deschênes reviennent chez eux. Ils ont d'abord déposé Samuel chez lui. Ensuite, il a fallu récupérer Gigi chez Maxime, car Camille ne voulait absolument pas passer une nuit de plus sans sa fidèle amie. D'ailleurs, elle ne l'a pas laissée une minute depuis leur arrivée. Installée sur son lit, elle lui fait des câlins.

Dans sa chambre, Frédérique commence à défaire son sac, rangeant les vêtements propres dans sa commode et lançant les sales dans son panier.

Tout à coup, entre deux t-shirts, sa main heurte un objet assez rugueux.

« Bon qu'est-ce que c'est que ce truc ? » se demande-t-elle, tout en retirant l'objet de son sac.

Il s'agit d'un vulgaire morceau de pierre plat. Frédérique le tourne entre ses doigts. La pierre est sale et laisse des traces de terre sur ses mains.

— Oh, non ! mon beau t-shirt blanc va être tout taché !

Frédérique déplie le t-shirt devant elle. Effectivement une grosse tache de terre y est bien imprégnée.

— Camille ! Camillou ! crie Frédérique de sa chambre.

La petite ne répond pas ; elle est bien trop occupée à renouer connaissance avec Gigi. Sept jours d'absence, c'est une éternité !

Frédérique se décide à rejoindre sa sœur.

— Dis donc, Camillou ! C'est toi qui as mis cette roche dans mon sac ? À cause de toi, mon beau t-shirt de la Gaspésie est complètement foutu ! tonne Frédérique. T'exagères quand même, Camille Deschênes ! ajoute-t-elle en jetant, d'un air dédaigneux, le morceau de pierre sur le lit de sa sœur.

— Ben non ! Pourquoi j'aurais mis une roche dans ton sac ? réplique Camille, tout en déposant Gigi dans sa cage.

Après quelques secondes de silence, les deux filles s'exclament en chœur :

— Mousse !

Répondant à son nom, le chien arrive aussitôt, en agitant la queue, très content qu'on l'appelle.

— Mousse, c'est toi qui as mis ça dans mon sac ? demande Frédérique en désignant la roche.

Le chien renifle la pierre, agite la queue, et lui donne un grand coup de langue, ce qui a pour effet de l'envoyer sous le lit.

— Mousse, vraiment, t'es insupportable ! gronde Frédérique en ramassant la roche.

À l'endroit où Mousse a mouillé la pierre, Frédérique distingue ce qui semble être des marques. Elle se précipite aussitôt vers la cuisine, son chien sur les talons. Camille la suit en se demandant quelle mouche a piqué sa grande sœur.

— Fred, Fred, qu'est-ce qui se passe ? demande-t-elle.

Penchée au-dessus de l'évier de la cuisine, Frédérique passe la pierre sous l'eau et la lave soigneusement avec la brosse à bouteille. Petit à petit, de nouvelles marques apparaissent.

— Camille ! Camille ! s'exclame Frédérique, très excitée, tout en essuyant la pierre avec le torchon à vaisselle.

— Oh, oh, maman va crier ! constate Camille en voyant les traces de terre laissées sur le torchon.

— Laisse faire maman, réplique Frédérique. Regarde ce que je viens de découvrir.

— Wow ! s'écrie Camille, ça doit être le fils du Prince !

— Hein ? s'étonne Frédérique. Quel prince ? Quel fils ? Tu ne vois pas que c'est un fossile de poisson...

— C'est bien ce que je disais, répond Camille, d'une voix où commence à percer un peu d'agacement.

— Écoute, je ne comprends rien à ce que tu dis, poursuit Frédérique, en examinant sa roche de plus près.

C'est alors que leur mère fait irruption dans la cuisine :

— Dites donc, les filles, qu'est-ce que vous faites ici ? Vous n'êtes pas encore au lit !

Sans trop savoir pourquoi, Frédérique s'empresse de cacher la roche derrière son dos, tout en faisant de gros yeux à Camille.

— On est en train... commence Camille.

Mais tout à coup, elle se mord la langue. Les yeux de Frédérique sont noirs de menaces. Camille comprend qu'elle allait faire une gaffe.

— ... de se laver les mains, bafouille-t-elle, en replaçant le torchon sur son anneau, côté sale face au mur, pour que sa mère ne voie rien.

— Bonne nuit, m'man ! lance Frédérique en s'éclipsant de la cuisine, le plus vite possible.

Les deux filles s'engouffrent dans la chambre de Frédérique, tandis qu'Isabelle rejoint son mari devant la télé, au salon, tout en leur recommandant de se mettre au lit au plus vite.

— Et toi, Mousse, au panier ! lance-t-elle au chien qui l'a suivie.

Mousse, tête basse, la queue entre les pattes, fait demi-tour et se dirige lentement vers son panier. Après avoir tourné deux fois en rond, il finit par s'y installer pour la nuit.

— C'est bien, Camille, tu fais des progrès, complimente Frédérique, dès qu'elle a refermé la porte de sa chambre sur elle.

Camille se redresse fièrement, un grand sourire aux lèvres.

— Si tu veux un jour faire vraiment partie de notre bande, il faut que tu apprennes à tenir ta langue, Camillou, explique Frédérique en faisant signe à sa sœur de prendre place à ses côtés, sur son lit.

— Je sais, je sais ! Je fais de mon mieux ! répond Camille, très heureuse à l'idée de faire totalement partie de la bande un jour ou l'autre.

Les deux filles observent minutieusement l'objet qu'elles ont découvert.

— C'est vraiment un fossile. Regarde, les marques sont très nettes, dit Frédérique.

De l'index, elle suit les marques laissées sur la pierre.

— Qu'est-ce qu'on va en faire ? interroge Camille.

— J'sais pas ! Mousse a dû ramasser ça sur la plage, ça ne vaut pas grand-chose, si tu veux mon avis ! répond Frédérique, en déposant la pierre sur sa table de chevet.

— On peut le dire à m'man et pa alors ? demande Camille, contente à l'idée d'être déliée du secret.

— Camille, c'est vraiment plus fort que toi, hein ? Tu ne peux pas garder un secret ? s'amuse Frédérique. Si tu veux, dis-le aux parents !

Sans perdre un instant, Camille se précipite hors de la chambre en criant à tue-tête :

— On a trouvé un fossile ! On a trouvé un fossile !

Jacques et Isabelle se retournent vers la petite qui saute à cloche-pied dans le couloir en répétant « On a trouvé un fossile ! » sur tous les tons.

— Ah oui ? Montrez-moi ça, les filles, dit Jacques, en s'extrayant de son fauteuil.

— C'est Fred qui l'a ! C'est Fred qui l'a ! chantonne Camille.

Jacques et Isabelle rejoignent Frédérique qui termine de ranger ses affaires.

— Beau fossile ! s'étonne Jacques. Intéressant.

— Ne devrait-on pas le renvoyer à Miguasha ? demande Isabelle en examinant la pierre à son tour.

— J'imagine que oui. C'est écrit dans le dépliant qu'on n'a pas le droit de sortir des fossiles du Parc de conservation, répond Jacques. Au fait, quelqu'un peut-il m'expliquer comment ce caillou est arrivé dans cette maison ? ajoute-t-il d'un ton sévère.

— C'est Mousse, lance Camille avant que Frédérique n'ait le temps de dire un mot.

En entendant son nom, Mousse couché dans son panier, au bout du couloir, relève la tête et pointe les oreilles.

— Bon, on verra ça demain ! Tout le monde au lit. Il est tard ! conclut Jacques en poussant Camille vers sa propre chambre.

✏✏✏

Les jours passent. Tout le monde est occupé par ses activités quotidiennes, et la pierre est plus ou moins oubliée.

En fait, Isabelle a déclaré qu'il en coûterait trop cher de renvoyer la pierre par la poste, et que cela risquerait même de l'endommager. Jacques a promis d'appeler à Miguasha dès qu'il en aurait le temps, mais cela lui est complètement sorti de la tête. Quant à Frédérique, même si les fossiles et les dinosaures l'intéressent beaucoup, elle préfère collectionner les livres plutôt que les roches.

Le fossile se retrouve finalement sur la bibliothèque de Camillou qui l'utilise comme presse-papiers.

✐✐✐

Un mois plus tard, le voyage en Gaspésie, les fossiles et la pierre ne sont plus du tout d'actualité. D'autres événements sont venus marquer la vie quotidienne des Deschênes.

Cependant, ce jour-là, l'histoire du fossile va refaire surface.

— Viens voir ma chambre, viens ! lance Camille à Sonia, une amie de son père qui est venue souper chez les Deschênes.

Camillou est très fière de sa chambre. Bien sûr, ce n'est pas très bien rangé, mais elle est contente de montrer ses poupées et surtout les affiches des Back Street Boys qu'elle a placardées dans tous les coins.

— Oh, tu as une bien belle chambre ! s'exclame Sonia en jetant un rapide coup d'œil sur le capharnaüm de Camille.

— Viens, tu peux entrer ! continue Camille, en tirant la jeune femme à l'intérieur.

— Hum ! Je vois que tu aimes la lecture, lance Sonia en s'arrêtant devant la bibliothèque de Camille.

— Oui ! Et Fred, aussi ! Elle fait partie d'un club de lecture ! C'est Hélène qui...

Quand Camille trouve un bon auditoire, impossible de l'arrêter. Elle est en train de raconter sa vie à Sonia, même si parfois, elle a tendance à vouloir tout dire en même temps et que les mots se bousculent à la sortie.

— François à Misha, euh ! à Miguasha, il dit que les Princes sont dans les rochers...

Mais la jeune femme ne fait pas tellement attention au babillage de Camille. Elle est tombée en arrêt devant une pierre qui maintient les livres en place.

— Oh, voilà qui est intéressant ! dit Sonia en retournant la pierre entre ses doigts. C'est un beau fossile que tu as là.

— Oui, il est pas mal beau. C'est Mousse qui l'a trouvé à Misha euh... guasha ! pendant les vacances, explique Camille, en estropiant une fois encore le nom du Parc.

— Tu me le prêtes ? demande Sonia en quittant déjà la chambre.

— Ben, si tu veux... hésite Camille, mais tu devrais aussi demander à Fred, parce que c'est son fossile. C'est son chien qui l'a trouvé...

Sonia ne répond pas, et Camille a bien d'autre chose à faire que de s'occuper encore de ce caillou. La cage de Gigi est dans un état lamentable; la pauvre bête ne peut pas passer la nuit dans cette saleté. Camille entreprend donc de vider la cage de ses jouets, avant d'en changer la litière.

Sonia vient rejoindre Jacques et Isabelle qui l'attendent dans le salon.

— Alors, Camille t'as laissée t'échapper ? blague Jacques, tandis que Sonia vient s'asseoir près d'eux.

— Oh, elle t'a même laissé son fossile... eh bien, elle te fait confiance ! ironise Isabelle, en passant une tasse de café à leur invitée.

— Elle dit qu'il vient de Miguasha... commence Sonia. C'est étonnant que vous ayez pu l'emporter...

— Oh, ce fossile est arrivé ici bien malgré nous, explique Jacques. C'est Mousse qui l'a glissé dans le sac de Frédérique et j'ai complètement oublié d'en avertir le Parc.

Comme toujours lorsqu'on prononce son nom, Mousse réagit au quart de tour et dépose vivement ses deux pattes sur les genoux de Sonia, tout en flairant la pierre, comme s'il l'avait reconnue.

— Si ça ne vous fait rien, j'aimerais l'examiner de plus près, répond Sonia, qui continue de regarder attentivement le fossile, en caressant machinalement la tête de Mousse.

— Il y a un problème ? s'inquiète Isabelle, en remarquant l'air préoccupé de leur amie.

— Non, non. Ne vous en faites pas ! Mais je suis impressionnée par ce fossile. J'enseigne la géologie à l'université et je n'ai jamais eu l'occasion de voir un tel spécimen, c'est très étonnant... reprend Sonia.

Sur ce, Frédérique fait son apparition dans la maison.

— Salut tout le monde, lance-t-elle à la ronde. Salut Sonia !

— Ah, te voilà Fred, j'espère que tu t'es bien amusée ? interroge Jacques.

— C'était une superbe fête d'anniversaire. Maximum a été très gâté. Ses parents lui ont offert toute la collection des aventures de Tintin... le chanceux ! répond Frédérique.

Puis, apercevant le fossile dans les mains de Sonia, elle reprend :

— Ah, le fossile ! On a oublié de le renvoyer, celui-là !

— Écoute, Fred, si tu le permets, je vais te l'emprunter. C'est un fossile d'un genre que je n'ai jamais vu et j'aimerais le faire examiner par un spécialiste, si ça ne te dérange pas.

— Pas de problème, tu peux le prendre ! dit Frédérique. Mais j'aimerais quand même le récupérer après... c'est un souvenir de mes vacances... alors tu comprends...

Sonia hoche la tête et enfouit le fossile dans son sac. La conversation passe ensuite à d'autres sujets. Tandis que les adultes discutent, les filles vont se coucher.

4

Un expert très avisé

Sonia est de plus en plus intriguée par le fossile découvert chez les Deschênes. En tant que géologue, elle a déjà eu l'occasion d'en examiner de très près. Mais, jamais elle n'en a vu d'aussi étrange que celui-ci.

Elle a demandé l'avis de certains de ses collègues de l'université et tous ont trouvé que le spécimen semblait intéressant.

Malheureusement, le seul spécialiste des fossiles de leur département est en congé de maladie ; il ne peut donc pas donner son avis.

Un professeur de l'université suggère à Sonia de consulter un spécialiste de la question qui exploite un laboratoire privé. C'est un collectionneur qui a déjà vu défiler entre ses doigts des pièces assez intéressantes.

D'un côté, Sonia hésite à entreprendre une telle démarche. Le plus simple ne serait-il pas de mettre la pierre dans une boîte et de la réexpédier à Miguasha ? Mais d'un autre côté, elle est curieuse, et voudrait savoir de quoi il en retourne le plus tôt possible.

« Si j'attends d'avoir des nouvelles de Miguasha, ça peut être long. Ils n'ont pas que ça à faire, là-bas, surtout en pleine saison touristique. Je crois que Louis Desrochers est l'homme de la situation », se dit-elle finalement, en composant le numéro du laboratoire privé du professeur.

Sonia, qui sait se faire convaincante, obtient un rendez-vous pour l'après-midi même. Elle est tellement sûre d'avoir mis la main sur une pièce rare qu'elle a communiqué son enthousiasme au professeur. Il a bien hâte, lui aussi, d'être fixé sur la qualité et la rareté du fossile.

— Quel fossile étrange ! s'exclame Louis Desrochers, lorsqu'elle lui présente la pierre enveloppée dans un tissu blanc. Et il vient de Miguasha ? Voilà qui est très intéressant.

D'une main assurée, il place aussitôt la pierre sous son microscope pour l'examiner en détail.

Le silence s'installe. Tandis que Louis Desrochers scrute le fossile, Sonia se penche au-dessus d'une vitrine où sont exposés des os de dinosaures et d'animaux aujourd'hui disparus ainsi que diverses pierres.

— Vous avez de très belles pièces, commence Sonia, autant pour briser le silence que pour en apprendre plus sur cet homme fascinant.

— Hun, hun, se contente-t-il de répondre, toujours très absorbé par le fossile.

— C'est un de mes collègues qui m'a envoyée à vous. Vous avez la réputation d'avoir un œil très exercé pour identifier les bonnes pièces, continue Sonia, en fixant l'abondante chevelure blanche du spécialiste.

— Hun, hun, marmonne encore le professeur, les yeux rivés à son appareil.

Sonia grimace. « Il a peut-être un très bon œil, mais vraiment, il n'est pas très causant », songe la jeune femme.

Pour tromper l'attente, elle s'empare d'un magazine qui traite justement des fossiles et le feuillette d'une main distraite, tout en espérant que le professeur laisse éclater sa joie d'avoir un spécimen rare sous la main. Mais tel n'est pas le cas.

Plusieurs autres minutes s'égrènent en silence, et après avoir tourné et retourné la pièce sous sa lentille, le professeur relève enfin la tête.

Sonia, qui attend impatiemment son verdict, retient son souffle. Mais le professeur se contente de plonger la main dans un bocal. Il en retire un bonbon au caramel qu'il développe soigneusement, sans même en offrir à Sonia. Il porte le bonbon à sa bouche et glisse le papier dans sa poche de pantalon. Puis, toujours sans un regard pour la jeune femme, il se remet au microscope.

— Alors, est-ce intéressant ? ose enfin Sonia, qui n'en peut plus d'attendre.

Le professeur sursaute. Il avait oublié que la jeune femme était derrière lui.

Ses yeux brillent de satisfaction, et sur ses lèvres, un sourire commence à poindre. Pourtant, ses paroles ne reflètent pas vraiment ce que Sonia croit deviner sur son visage.

— Oui, oui, oui ! Eh bien, c'est un beau fossile, j'en conviens !

— Alors, qu'en pensez-vous ? Cela vaut-il la peine de le renvoyer à Miguasha ? Est-ce une bonne pièce ? questionne Sonia, très excitée.

La mine réjouie du professeur lui laisse entrevoir une découverte extraordinaire. Toutefois, celui-ci esquisse maintenant une moue presque dédaigneuse.

— Ce n'est pas nécessaire. C'est un beau fossile, mais à Miguasha, ils en ont des tonnes de ce genre... non, vraiment il n'a rien d'exceptionnel.

Toute la joie de Sonia s'évapore aussitôt. Elle est terriblement déçue. Elle qui croyait avoir vu un spécimen rare ! Finalement, ce n'est qu'un fossile parmi tant d'autres.

Elle se sent même gênée maintenant devant le professeur en blouse blanche qui tient négligemment le fossile entre ses mains.

— Je suis sincèrement désolée de vous avoir fait perdre votre temps, commence-t-elle, en rajustant la bandoulière de son sac de toile sur son épaule.

— Mais voyons, vous avez bien fait de venir me voir, on ne sait jamais sur quoi on peut tomber, la rassure le professeur. Laissez-moi vous raccompagner...

— Oh, pourrais-je récupérer la pierre, s'il vous plaît ? Elle ne m'appartient pas et la jeune Frédérique Deschênes, qui me l'a prêtée, serait affreusement triste que je l'oublie, reprend Sonia, en tendant la main.

Mais, contrairement à ses attentes, le professeur ne dépose pas la pierre dans sa paume.

— Ce n'est pas possible ! Vous savez que tous les fossiles de Miguasha appartiennent au Parc de conservation. J'en ai plusieurs ici qui m'ont été prêtés pour un cours, et comme je dois les renvoyer la semaine prochaine, je joindrai celui-là à mon envoi. Mais laissez-moi l'adresse de cette mademoiselle Deschênes, je lui enverrai moi-même un petit mot d'explication, elle comprendra sûrement !

Tout en écrivant l'adresse de Frédérique sur une feuille du bloc-notes que lui tend le professeur, Sonia se mord les lèvres. Comment va-t-elle expliquer la situation à la jeune fille ? Elle sait cependant que le professeur a tout à fait raison et que c'est son devoir de renvoyer la pierre. Pourtant, elle aurait aimé que les choses se passent autrement.

Mais elle doit se rendre à l'évidence. Elle ne peut pas récupérer le fossile. Elle serre alors la main que le professeur lui tend et se dirige d'un pas lent vers la sortie.

✐✐✐

Sonia ne sait vraiment pas comment expliquer les choses à Frédérique. Aussi, pour se faire pardonner d'avoir dû abandonner le fossile aux mains de Louis Desrochers, elle se rend dans un magasin spécialisé en pierres et fossiles.

— Voilà celui qu'il me faut ! dit-elle au vendeur qui lui montre plusieurs spécimens de fossiles.

— Il vient d'Australie. Voici le certificat d'authenticité, répond le vendeur en déposant la pierre dans un emballage de carton.

Espérant que Frédérique ne sera pas trop déçue par la substitution, Sonia sort de la boutique, puis se rend directement chez les Deschênes.

C'est justement Frédérique qui répond à son coup de sonnette.

— Bonjour Sonia ! Entre !

Cinq autres enfants sont assis par terre au milieu du salon et chacun feuillette une bande dessinée. Isabelle Deschênes s'affaire à la cuisine.

— Sonia, viens, je suis ici ! lance-t-elle, tout en hachant des carottes et un bouquet de brocoli.

— Oui, j'arrive Isabelle. J'ai juste un mot à dire à Frédérique, répond Sonia en tendant son paquet à la fillette.

— Qu'est-ce que c'est ? interroge Fred, tout en défaisant rapidement les morceaux de ruban adhésif qui maintiennent l'emballage de carton.

— C'est pour me faire pardonner, commence Sonia.

Tous les jeunes relèvent alors la tête.

— C'est quoi, Fred ? C'est quoi ? s'impatiente Camille qui trouve que sa sœur prend bien du temps pour ouvrir son paquet.

— Oh ! un fossile ! s'écrie Frédérique contente, mais étonnée par le cadeau.

Samuel se lève aussitôt et vient jeter un coup d'œil sur la pièce.

— Ouais, pas mal ! commente-t-il, mais ceux de Miguasha étaient plus intéressants.

Il ne semble pas très emballé par le cadeau.

— Bien justement, à propos de Miguasha, j'ai dû laisser ton fossile au professeur Desrochers. C'est le spécialiste à qui j'ai demandé une expertise, explique Sonia, mal à l'aise. Alors, pour que tu n'aies pas tout perdu, j'ai pensé t'offrir celui-ci... Il est plus beau que celui de Miguasha et il vient de loin. D'Australie... et avec le certificat d'authenticité, c'est mieux.

— Oh, merci ! Mais ce n'était pas nécessaire, répond Frédérique.

En fait, elle est terriblement déçue d'avoir perdu son souvenir de vacances.

— Alors comme ça, celui de Mi... de Gaspésie, c'est un fossile rare ! s'exclame Camille, les yeux ronds.

— Non, il n'a pas beaucoup de valeur, la détrompe Sonia. Mais, il vaut mieux le renvoyer d'où il vient, le professeur va s'en charger...

— Quel fossile de Miguasha ? interroge Maxime, venu lui aussi admirer la pierre que Frédérique tient dans le creux de sa main.

— Ah oui, c'est vrai, vous n'êtes pas au courant. On a totalement oublié de vous raconter cette histoire, répond Frédérique, en déposant la pierre dans la main d'Anh.

— C'est Mousse qui l'a trouvé ! intervient Camille, toujours très douée pour mettre son grain de sel dans la conversation.

— Et bien voilà, poursuit Frédérique, quand nous sommes allés à Miguasha, Mousse a ramassé...

Tandis que Frédérique raconte son histoire à ses amis, Sonia va rejoindre Isabelle dans la cuisine.

— C'est pas juste, ça ! intervient Olivier. C'est ton fossile, ils n'ont pas le droit de te le reprendre...

— Oui, puisqu'il ne vaut pas grand-chose, t'aurais pu le garder ! ajoute Anh.

— Moi, je trouve ça louche quand même ! songe tout haut Samuel. Là-bas, à Miguasha, ils ont des fossiles très particuliers... Alors, pourquoi Mousse aurait-il ramassé une cochonnerie... c'est louche, c'est louche !

— C'est vrai, ça. Qui te dit que ton fossile ne vaut pas une fortune ? intervient Olivier. J'ai lu quelque part dans Internet qu'il y a des fossiles qui sont d'une rareté exceptionnelle...

— Wow, une fortune ! T'en rajoutes un peu là, l'interrompt Frédérique. D'abord, pourquoi Sonia me raconterait-elle n'importe quoi ?

— Écoute, Fred. Sonia, c'est une amie de tes parents, je ne pense pas qu'elle te raconterait des histoires. Mais l'autre, là... le professeur... il peut dire ce qu'il veut, ajoute Olivier.

— Sonia est quand même géologue, elle l'aurait vu s'il y avait quelque chose de bizarre là-dessous ! réplique fermement Frédérique pour clore la discussion.

Mais la conversation des enfants est parvenue aux oreilles des deux adultes, dans la cuisine. Et l'impression bizarre que Sonia a eue à l'égard du professeur se précise davantage.

— Isabelle, je ne me sens vraiment pas à l'aise avec cette histoire de fossile, dit Sonia, en se passant la main dans sa longue chevelure sombre.

— Tu as des doutes ? interroge Isabelle tout en mettant de l'eau à bouillir.

— Quand il a quitté son microscope, il avait vraiment un air abasourdi, et très... réjoui si on peut dire... tu vois, à la fois surpris et très très heureux ! Et puis, tout à coup, il m'annonce que le fossile est d'une banalité navrante... Sur le coup, j'ai trouvé ça étrange... raconte Sonia.

— Oui, mais, c'est quand même un professeur connu, enchaîne Isabelle.

— Connu ! Oui et non ! C'est quelqu'un de l'université qui me l'a recommandé. Moi, je n'en avais jamais entendu parler avant, ajoute Sonia. Et maintenant que j'y repense, je trouve qu'il a eu une attitude vraiment étrange... À bien y réfléchir, je n'aime vraiment pas ça.

— Écoute, reste ici pour souper, et tu en discuteras avec Jacques. En tant qu'expert en meubles anciens, il saura mieux décoder ce que tu racontes. Mais moi, je pense que le mieux est que tu retournes au laboratoire Desrochers demain, et que tu récupères le fossile. Tu l'enverras toi-même à Miguasha, comme ça, tu arrêteras de te faire du mauvais sang avec cette histoire...

— C'est exactement ce que je pense ! réplique Sonia, en croquant dans un morceau de carotte.

5

La disparition du professeur

Le lendemain matin, à la première heure, Frédérique, Samuel et Sonia se frappent le nez à la porte close du laboratoire Desrochers.

Aucun employé n'est encore arrivé. Samuel et Frédérique s'impatientent en arpentant le trottoir à grandes enjambées. Sonia, elle, se demande dans quelle galère elle s'est embarquée.

— Et s'il ne veut pas te rendre le fossile, Fred, qu'est-ce qu'on va faire ? interroge Samuel, en décochant un coup de pied sur un paquet de bonbons qui traîne sur le sol.

— Écoute, pourquoi refuserait-il de me le rendre, si je lui promets de le renvoyer à Miguasha moi-même ? Il n'y a pas de raison ! réplique Frédérique, en regardant pour la centième fois à travers la porte vitrée.

— S'il n'a pas confiance, il ne te le rendra pas ! répond Samuel en regardant à travers la vitre à son tour.

— Ah, voilà la secrétaire, lance Sonia, en désignant du menton une dame d'un certain âge qui s'approche d'un pas lent.

La dame se dirige vers la porte et glisse une clé dans la serrure.

— Bonjour, madame ! Vous vous souvenez de moi ? Je suis venue hier voir le professeur, l'aborde Sonia.

La dame se retourne et dévisage les trois visiteurs.

— Oui, je me souviens ! Mais vous n'avez pas rendez-vous ce matin, je m'en rappellerais, répond la dame.

Malgré cela, elle s'écarte en tenant la porte pour laisser entrer Sonia et ses deux compagnons.

— Tenez, asseyez-vous. Le professeur arrive toujours vers neuf heures. Il ne va donc pas tarder, continue la dame, en jetant un coup d'œil à l'horloge murale qui marque huit heures cinquante.

Sonia, Frédérique et Samuel prennent place dans les confortables sièges de cuir mis à la disposition des visiteurs. Tandis que la dame s'affaire à préparer du café, allume son ordinateur et range ses effets personnels, Sonia et les deux enfants attendent en silence.

Les minutes s'égrènent. Le goutte à goutte du café, le cliquetis du clavier de l'ordinateur, la musique en sourdine, les craquements du cuir des fauteuils, la respiration des quatre personnes sont les seuls bruits qui percent le silence du bureau.

Frédérique et Samuel gigotent de plus en plus sur leur siège, tandis que Sonia croise et décroise les jambes. L'horloge affiche maintenant neuf heures dix, et le professeur n'est toujours pas arrivé. Brusquement, la sonnerie du téléphone retentit. Sonia sursaute.

— Laboratoire Desrochers ! annonce la secrétaire dans le combiné. Oui, oui... mais... D'accord professeur. Mais... la jeune femme d'hier... euh...

— Sonia Laporte ! lui rappelle Sonia, puisque la dame semble avoir oublié son nom.

— Sonia Laporte est ici, répète la secrétaire dans le combiné. Oui... bien... d'accord !

La secrétaire raccroche et prend un air navré pour s'adresser aux visiteurs.

— Le professeur a été appelé d'urgence en Alberta. On vient d'y découvrir de nouveaux dinosaures... explique la dame. Il ne sait pas quand il reviendra. Il dit qu'il vous téléphonera à son retour.

Sonia est très déçue et se lève lentement. Cependant, Fred et Samuel ne lâchent pas prise aussi facilement.

— Et mon fossile, alors ? demande Frédérique. Je ne quitterai pas ce bureau tant que je n'aurai pas mon fossile !

— T'as raison, Fred. On ne repart pas sans le fossile, renchérit Samuel en se calant plus profondément dans son fauteuil.

— Que voulez-vous que je fasse ? demande Sonia.

Voyant que les enfants ne changeront pas d'avis, elle se tourne vers la secrétaire :

— Écoutez, hier j'ai apporté un fossile à expertiser et il leur appartient. Puis-je le récupérer ? Le professeur a sûrement dû le laisser dans son bureau.

— Avez-vous un reçu à me montrer ? demande la secrétaire. Je ne peux pas vous remettre quelque chose si je ne suis pas sûre que cela vous appartient, vous comprenez ?

— Non, malheureusement, le professeur ne m'a pas remis de reçu, répond Sonia, la mine basse.

Elle s'en veut terriblement. Comment se fait-il qu'elle n'ait pas pensé à demander un reçu ? Elle n'a désormais plus rien pour prouver qu'elle a bel et bien confié le fossile au professeur. Quelle erreur impardonnable !

Complètement désemparée, Sonia se tourne vers Frédérique et Samuel. Les deux enfants ont parfaitement saisi la situation : ils n'obtiendront rien de plus aujourd'hui.

— Je suis désolée les jeunes ! s'excuse la secrétaire. Tenez, prenez ça !

D'une boîte de fer, elle tire une poignée de bonbons au caramel qu'elle tend à Samuel lorsqu'il passe tout près de son bureau.

— Merci ! dit-il d'un ton détaché.

« Ce n'est pas une poignée de bonbons qui va remplacer un beau fossile », songe-t-il, en glissant néanmoins les friandises dans sa poche de jean.

— Venez, on retourne chez moi, lance soudain Frédérique en gagnant la sortie d'un pas décidé. Aurevoir, madame.

Samuel et Sonia saluent la secrétaire et emboîtent le pas à la jeune fille en s'interrogeant du regard. C'est rare que Frédérique abandonne si rapidement.

Une fois sur le trottoir, celle-ci éclate :

— On s'est fait avoir ! Voilà ce que je pense !

— Mais Frédérique... commence Sonia, d'une petite voix incertaine.

— On s'est fait avoir ! continue Frédérique, en martelant le sol de coups de talon furieux. Mais, ne t'en fais pas, ce n'est pas de ta faute, Sonia. Tu ne pouvais pas deviner que ton professeur est un voleur.

— Un voleur ? Tu ne trouves pas que tu sautes un peu vite aux conclusions ? intervient Samuel.

— Vous ne trouvez pas ça étrange, vous ? Tout à coup, le professeur part comme ça en Alberta... voyons donc ! Ils ont découvert un nouveau dinosaure en pleine nuit peut-être ? continue Frédérique, de plus en plus en colère. Moi, je crois que notre fossile est un beau spécimen, et il vient de nous le voler... un point c'est tout !

— Écoutez ! Tout ce qu'il nous reste à faire, c'est d'annoncer la découverte d'un fossile très rare à Miguasha, propose Sonia. Il sera bien obligé de le montrer. Tout ce que j'espère, par contre, c'est que ce sera vraiment un spécimen rare, parce que sinon, ma carrière est finie !

Tout en marchant vers la voiture de la jeune femme, Frédérique, Samuel et Sonia réfléchissent au meilleur moyen de faire sortir le voleur de sa cachette sans pour autant bousiller la carrière de Sonia.

— Sans faire une conférence de presse, commence Sonia, je peux tout au moins en parler autour de moi, à l'université. J'ai d'ailleurs montré le fossile à deux collègues avant de le porter au professeur Desrochers.

— C'est la meilleure solution, je pense, réfléchit tout haut Samuel. Mais, fais tout de même attention, poursuit-il à l'intention de Sonia.

— Ce serait bête de perdre ta crédibilité, ajoute Frédérique.

— Ne vous en faites pas, je serai très prudente... cette fois ! confie Sonia.

En mettant sa main dans sa poche pour y prendre un mouchoir de papier, Samuel se souvient des bonbons. Il les partage avec Sonia et Frédérique.

Pendant les jours qui suivent, dès qu'elle en a l'occasion, Sonia parle du fossile découvert par Mousse à Miguasha. Sans trop insister sur la qualité du spécimen, elle précise toujours qu'elle l'a confié au laboratoire Desrochers pour une expertise, et que cela semble très prometteur.

Malheureusement, elle ne peut pas en dire plus. Cependant, elle espère que cela sera suffisant pour faire réagir les gens et surtout, pour forcer le professeur Desrochers a en parler lui-même.

Puis, un soir, alors qu'elle est en train de lire au lit juste avant de dormir, son téléphone sonne.

— Il est bien tard, dit-elle tout haut, en décrochant le combiné.

La voix qui tonne à l'autre bout du fil la laisse stupéfaite. Son interlocuteur est tellement furieux qu'il lui faut quelques secondes pour identifier la voix. C'est le professeur Desrochers.

— Mademoiselle Laporte, bafouille le professeur, hors de lui. Je vous ordonne de cesser de propager de fausses nouvelles. Vous ne m'avez confié aucun fossile...

— Mais... mais, bredouille Sonia, complètement ébahie. Celui de Miguasha...

— Je ne vous connais pas ! Je ne vous ai jamais vue de ma vie ! Si vous continuez, je vous... je briserai votre carrière, poursuit Louis Desrochers, la voix chargée de menaces.

— Eh, un instant ! se reprend Sonia. Je vous interdis de me parler sur ce ton. Tout le monde sait que je vous ai remis un fossile...

À ces mots, le professeur éclate d'un rire moqueur et méchant :

— Ah oui ! Pouvez-vous le prouver ?

Sonia en pleurerait de rage. Elle sait bien qu'elle a perdu, elle ne peut rien faire de plus. Pourtant, elle tente un dernier mot :

— Écoutez, si ce fossile n'est pas intéressant, je ne vois pas pourquoi vous faites tout ça ! Et si le fossile est vraiment exceptionnel, vous n'allez pas le garder caché indéfiniment. Vous le montrerez forcément à quelqu'un...

— Bien raisonné, ma petite dame ! se moque Louis Desrochers. Mais ne vous inquiétez pas, je vais en parler... je vais même être chaudement félicité pour cette importante découverte... Bonne nuit !

Avant que Sonia puisse ajouter quoi que ce soit, le professeur met brusquement fin à la conversation.

✐✐✐

Une semaine plus tard, Sonia est à son bureau, en train de corriger des travaux de ses étudiants, lorsque Frédérique et Olivier frappent à sa porte.

— Ah, bonjour ! lance Sonia très étonnée de découvrir les deux enfants devant elle. Que se passe-t-il ?

Olivier lui tend alors une dépêche d'agence de presse qu'il a dénichée dans Internet.

Tandis que Frédérique et Olivier prennent un siège, Sonia commence à lire. Au fur et à mesure que les mots s'impriment dans sa tête, son visage pâlit.

— Oh, c'est pas vrai ! C'est pas possible ! Il n'a pas fait ça ! murmure-t-elle, les yeux fixés sur le papier.

— Et si ! Il l'a fait ! répond Frédérique. Tu vois, j'avais raison, c'est vraiment un escroc.

Sonia relit la dépêche à haute voix. Elle est si abasourdie qu'elle veut être sûre de bien comprendre tout ce qui est écrit.

« Le professeur Louis Desrochers vient d'annoncer la découverte d'un fossile extraordinaire dans une carrière du Nord de la France. Selon lui, il s'agit d'un fossile démontrant hors de tout doute, le passage de la vie aquatique à la vie terrestre à l'époque du dévonien, il y a environ 370 millions d'années. »

— Je dois vous raconter quelque chose, reprend Sonia. Louis Desrochers m'a téléphoné la semaine dernière. Il m'avait prévenue qu'il ferait quelque chose pour s'approprier le fossile... mais jamais je n'aurais imaginé qu'il mentirait à ce point...

Olivier et Frédérique sont très déçus. Leurs espoirs de récupérer le fossile sont de plus en plus faibles.

— On ne peut pas le laisser faire ! lance Olivier. C'est pas juste, et en plus c'est un voleur et un menteur...

— Oui, tu as raison ! On ne va pas se laisser avoir comme ça sans réagir. Il faut trouver un plan pour démolir tous ses mensonges, répond Frédérique d'un ton déterminé.

Et lorsque Frédérique a une idée dans la tête, elle n'en démord pas. Le professeur Louis Desrochers n'a qu'à bien se tenir ; il n'en a pas fini avec Frédérique et ses amis.

6

Gigi manque à l'appel !

Bien entendu, la nouvelle de la découverte du professeur Louis Desrochers se répand comme une traînée de poudre dans le monde entier. On ne parle plus que de ça dans le milieu des chercheurs en paléontologie. La dépêche de l'agence de presse est reprise par tous les journaux, toutes les télévisions, toutes les stations de radio. Les sites Internet qui traitent du sujet sont submergés de questions de la part des chercheurs des quatre coins de la planète, mais aussi du grand public.

Installé devant son ordinateur, Olivier n'en revient pas. Pendant un instant, il est tenté d'envoyer son opinion par le biais des groupes de discussion dans Internet. Mais il y renonce aussitôt.

« Comment faire pour arrêter cette machination ? Qui va me croire, si j'accuse un éminent professeur de mensonges et d'escroquerie ? Personne, évidemment. »

À Miguasha aussi, la nouvelle fait beaucoup parler. Le directeur du Parc de conservation, Antoine Landry, n'en revient pas. La preuve qu'il cherche depuis des années sur les falaises de la Gaspésie a été trouvée dans une région du Nord de la France. C'est tout simplement incroyable. Il décide de contacter Louis Desrochers.

— Professeur Desrochers ! Quelle fantastique nouvelle pour tous les paléontologues ! lance-t-il en guise de salutation, lorsqu'il parvient enfin à joindre le professeur par téléphone.

Après avoir discuté de fossiles pendant près d'une heure, les deux hommes conviennent de se rencontrer et d'organiser une exposition des fossiles que le professeur Desrochers a trouvés en France.

— Vous devez sûrement avoir trouvé des spécimens que nous n'avons pas au Québec ? demande Antoine Landry. Cela va être intéressant pour nos visiteurs de pouvoir les découvrir.

— J'ai trouvé des fossiles de poissons et de plantes très bien conservés. Je vous les apporterai. Mais, il faut nous dépêcher, car ils appartiennent au gouvernement français. Je ne peux pas les sortir du pays très longtemps, explique Louis Desrochers.

— Oui, bien sûr ! Alors, je vous attends la semaine prochaine, répond Antoine Landry avant de raccrocher.

En déposant le combiné, Louis Desrochers fait la grimace. Voilà un événement tout à fait imprévu. Et il ne peut pas refuser de montrer le fossile, car cela paraîtrait suspect.

Il jette alors un coup d'œil sur sa vitrine, et dresse un rapide inventaire de ce qu'il possède déjà. Il a quelques fossiles qui viennent justement de Gaspésie et qui sont en sa possession depuis une quarantaine d'années, bien avant que le gouvernement du Québec n'acquière le Parc.

— Un petit coup de plumeau pour enlever la poussière et ils seront prêts pour l'inspection ! s'exclame-t-il en relevant la vitre et en prenant un fossile entre ses mains.

Tout en travaillant, son esprit vagabonde et il revoit Sonia lorsqu'elle est venue lui remettre son trésor.

— Mais oui, pourquoi n'y ai-je pas pensé plus tôt ! s'exclame-t-il brusquement en se frappant la tête de la paume de la main.

Sans perdre un instant, il se précipite sur son téléphone.

Ce samedi soir-là, les Deschênes décident d'aller rendre visite aux parents d'Isabelle, qui habitent Laval. Isabelle, Jacques, Camille et Frédérique sont donc en train de monter dans la Lumina, lorsqu'un véhicule les dépasse en roulant au ralenti. À l'intérieur de la voiture, deux hommes, l'un assez âgé, aux cheveux blancs, et l'autre environ dix-huit ans, aux cheveux sombres, s'intéressent beaucoup aux mouvements de la famille.

— Ça fait plus de trois heures que je surveille cette maison, lance le jeune homme. Il était temps qu'il se passe quelque chose !

— Tu sais, un samedi soir, il est rare que les gens restent calfeutrés dans leur maison, surtout qu'il fait encore beau pour la saison, répond Louis Desrochers à son petit-fils. Il suffisait d'être patient.

— T'es sûr de ce que tu fais, grand-pa ? interroge Stéphane Desrochers. J'aime pas tellement ton plan !

— Écoute, il n'y a aucun risque. Et puis, tout ce qu'on cherche, ce sont des roches, pas des bijoux, pas de l'argent... rien qui n'ait beaucoup de valeur... Alors, calme-toi, et tiens-toi prêt, recommande le professeur.

La voiture des Desrochers repasse devant la résidence des Deschênes. La Lumina n'est plus en vue.

— Pour plus de sûreté, lance Stéphane, je vais refaire un tour du quartier.

En fait, il espère qu'ils croiseront une patrouille de la police et que cela fera changer d'avis à son grand-père. Mais, évidemment, aucune voiture de police ne circule dans le coin.

— Allez, stationne-toi là, lance Louis Desrochers, en désignant l'entrée de garage des Deschênes. On n'a pas besoin de se cacher. On n'a qu'à faire comme si on était en visite.

Stéphane obéit et se gare à l'endroit indiqué. Puis, fouillant dans sa boîte à gants, il en sort un passe-partout et une pince.

Les deux hommes se dirigent vers la maison des Deschênes. Stéphane sonne à la porte d'entrée. Comme ça, s'il y a quelqu'un, ils pourront prétendre s'être trompés d'adresse.

Un aboiement leur répond.

— Ah bon ! Il y a un chien ! s'exclame Stéphane, presque soulagé par cette découverte. On n'a plus qu'à s'en aller. Il ne nous laissera pas entrer.

— Écoute, il y a peut-être un chien, mais n'oublie pas qu'il y a deux enfants dans cette famille. Tu les as vus tout à l'heure monter dans l'auto. Alors, le chien ne doit pas être si terrible que ça. Les gens ne prennent plus de risque maintenant quand ils ont des enfants, réplique

Louis Desrochers, en glissant le passe-partout dans la serrure.

La porte s'ouvre sans forcer. De l'autre côté, Mousse regarde attentivement ce qui se passe. En voyant des étrangers dans l'entrée, il se met à grogner et montre les dents. Mais, comme il n'est pas méchant, et qu'on lui a appris à ne pas sauter sur les visiteurs, Mousse hésite. Doit-il ou non mordre les mollets de ces intrus ?

— Sage le chien ! Sage, commande Louis Desrochers d'un ton ferme. Viens ici.

De la poche de son chandail kangourou, le professeur sort un bonbon au caramel qu'il développe et tend à Mousse. Le chien ne se fait pas prier pour croquer dedans.

— T'es un bon toutou, toi ! dit le professeur en tapotant la tête de l'animal.

Mousse agite la queue. Finalement, ces étrangers lui plaisent plutôt bien. Il se met à les suivre, au cas où un nouveau bonbon surgirait de la poche du monsieur aux cheveux blancs.

Stéphane et Louis Desrochers ont refermé la porte derrière eux. Avant de s'aventurer plus loin dans la maison, ils inspectent les lieux du regard.

— Bon, pas d'autre chien, allons-y ! dit le professeur en s'engageant dans le long couloir qui mène au salon.

Stéphane, pour sa part, ouvre quelques portes, histoire de voir ce qui se trouve derrière.

— Moi, je ne tiens pas à avoir des mauvaises surprises, si on doit décamper de là ! J'aurais pas envie de me retrouver dans une garde-robe ou quelque chose du genre...

Tout en parlant, Stéphane entrebâille une nouvelle porte, et constate qu'elle donne sur le sous-sol.

— Viens ici, mon beau ! ordonne-t-il à Mousse.

Le chien se lèche les babines. Un autre caramel l'attend sûrement. Mais Stéphane lance son jouet dans l'escalier.

Croyant qu'il s'agit d'un jeu, Mousse dévale les marches à la poursuite de son crocodile de caoutchouc. S'il le rapporte, il aura sûrement un autre bonbon.

Mais voilà, alors qu'il remonte vers le couloir, la porte se referme devant lui.

— Bon, nous voilà débarrassés du chien ! Dépêchons-nous de fouiller la maison, s'exclame Stéphane.

— On va commencer par la chambre des filles. Il paraît que c'est une des deux qui a trouvé le fossile, répond Louis en ouvrant une porte.

C'est celle de la chambre de Camille.

Rapidement, les deux hommes vident les tiroirs des commodes, étalant les vêtements sur le sol. Pendant que Louis fouille sous le matelas, Stéphane se met à plat ventre pour regarder sous le lit.

— Eh bien, il y en a, des trucs, là-dessous ! s'exclame-t-il en tirant vers lui une paire de patins à glace, un sac de croustilles écrasées, le corps d'une poupée sans tête et un livre de mathématiques.

Mais il n'y a rien qui ressemble à un fossile. En se relevant, Stéphane aperçoit la cage de Gigi.

— Tiens, il y a une roche dans la cage du hamster !

Stéphane glisse sa main dans la demeure de Gigi, et en extrait la pierre. Il l'examine de près et constate que ce n'est qu'un bout de ciment. Stéphane dépose la roche sur la table de chevet et continue son inspection de la chambre.

Gigi, voyant que sa porte est demeurée ouverte, décide de partir en inspection, elle aussi, et le hamster se faufile entre les jambes du professeur Desrochers.

Celui-ci ouvre la porte de la garde-robe, et là... tout lui déboule sur la tête. Des boîtes de carton dégringolent, entraînant les vêtements qui étaient dessus.

— Stéphane, sors-moi de là ! hurle le professeur.

— Je n'ai jamais vu un tel désordre, s'exclame Stéphane en tentant de retenir d'autres boîtes qui menacent de s'écrouler sur eux.

Mais il n'y parvient pas et les boîtes basculent en se vidant de leur contenu : des centaines de photos des Back Street Boys découpées dans des magazines.

— Ouf ! Eh bien, si le fossile est là-dedans, ça va être long pour le retrouver, constate Stéphane en commençant le tri de tout ce qui est sorti du placard.

✐✐✐

Après une vingtaine de minutes, les Desrochers doivent se rendre à l'évidence : il n'y a rien qui ressemble à un fossile dans cette pièce.

Mousse, dans le sous-sol, commence à trouver le temps long et il pleure lamentablement.

Louis et Stéphane Desrochers sont maintenant dans la chambre de Frédérique. Tandis que Louis regarde dans la bibliothèque en jetant chaque livre qui s'y trouve sur le sol, Stéphane s'attaque à la garde-robe et aux tiroirs de la commode. Mais ils ont beau fouiller dans tous les coins, peine perdue, il n'y a aucun fossile là non plus.

— T'es sûr qu'il y a d'autres fossiles ici, grand-pa ? interroge Stéphane.

— Sûr, non ! Mais il doit y en avoir ! Tu sais comment sont les jeunes, s'ils en ont trouvé un, ils ont dû ramasser tout ce qui de près ou de loin ressemblait à un fossile, répond Louis Desrochers, en mettant le lit de Frédérique sens dessus dessous.

— Allons voir dans la cuisine et dans le salon, suggère Stéphane, mais après, il faudra filer. Ça fait longtemps qu'on est là, et les pleurs du chien vont finir par alerter le voisinage.

Effectivement, Mousse pleure de plus en plus fort et il gratte furieusement à la porte du sous-sol.

Le grand-père et le petit-fils fouillent fébrilement le reste de la maison.

Dans la cuisine, Stéphane explore les dessus de comptoirs et le bas des armoires. Une nouvelle porte l'intrigue. Sans prendre garde, il l'ouvre... et reçoit la planche à repasser en plein sur la tête. Il en est tout étourdi !

Voilà déjà plus de deux heures que les Desrochers vont et viennent à travers la maison. Au fur et à mesure de leur fouille, ils ont appris à se méfier de ce qui peut se cacher derrière les portes des placards. Mais ils n'ont plus de mauvaises surprises.

Tout à coup, Stéphane aperçoit un morceau de pierre ocre, bien en évidence sur la télévision.

— Hourra ! J'en ai un ! s'écrie-t-il, en brandissant le fossile à bout de bras.

Louis Desrochers, qui inspectait la chambre des parents, arrive à toute vitesse et manque de s'écraser contre le mur en dérapant sur le parquet ciré.

— On va finir par se casser un membre dans cette maison ! grommelle-t-il, tout en s'emparant de la pierre que Stéphane a trouvée.

Un rapide coup d'œil lui permet d'avancer un avis sur la provenance du fossile.

— Hum ! Non, ça ne vient pas de Miguasha ! La couleur n'est pas la bonne. Où as-tu trouvé ça ? demande-t-il à son petit-fils.

— Là, sur la télé !

Louis s'approche du poste de télévision, un papier attire son attention. Il le prend, le déplie. C'est le certificat d'authenticité.

— Raté ! C'est un fossile qui vient d'Australie, il a sûrement été acheté dans un de ces commerces qui vendent des pierres et des cristaux. Rien à voir avec ce que je cherche...

— Chut ! lui dit brusquement Stéphane.

Du doigt, il désigne une lumière qui danse sur les murs. Les phares d'une voiture illuminent le salon un bref moment, puis s'éteignent. Un véhicule vient de se garer devant la maison des Deschênes.

Tandis que Louis éteint les lampes du salon, Stéphane écarte lentement les rideaux et regarde par la fenêtre.

— Vite, grand-pa. Ils reviennent, filons ! s'exclame-t-il en reconnaissant la Lumina des Deschênes.

Affolé, il tire son grand-père par le bras, le faisant trébucher dans le porte-journaux. Les magazines vont valser au beau milieu du salon. Sans s'en rendre compte, Louis Desrochers emporte avec lui le fossile australien qu'il tient toujours dans ses mains.

Les malfaiteurs ont tout juste eu le temps d'ouvrir la porte donnant sur la cour arrière et de s'enfuir, quand les Deschênes entrent en bougonnant dans la maison.

— Je déteste ça, quand quelqu'un se sert de notre entrée de garage pour se stationner. Comme si il n'y avait pas assez de place dans la rue ! ronchonne Jacques en allumant le lustre du couloir.

— Tiens, où est Mousse ? s'inquiète Frédérique. Il ne vient pas nous accueillir ?

Jacques entre dans le salon, et aperçoit le désordre.

— Mousse ! C'est quoi, toutes ces bêtises ? Mousse, viens ici ! lance-t-il.

Mais le chien ne répond pas.

Un cri parvient de la chambre de Camille.

— M'man ! Mousse a dévasté ma chambre ! Où est Gigi ? Gigi, Gigi !

Camille est désespérée. Elle crie le nom de son hamster à tue-tête, à travers la maison.

— Papa, Mousse a mangé Gigi ! lance-t-elle en éclatant en sanglots.

Camille pleure tellement fort qu'ils n'entendent même pas la voiture garée dans leur entrée qui démarre et s'éloigne en faisant crisser ses pneus.

Figée sur le pas de sa porte, Frédérique n'en croit pas ses yeux : tous ses livres gisent sur le sol, son lit est complètement à l'envers et ses vêtements traînent partout. Elle trouve même un t-shirt pendu à son plafonnier.

— Mousse ! hurlent alors en chœur quatre voix rauques et en colère, provenant des quatre coins de la maison.

Des grattements et des pleurs leur répondent. Toute la famille Deschênes se précipite alors vers la porte qui mène au sous-sol.

Isabelle tente de l'ouvrir, mais le verrou est tiré. Elle déverrouille et Mousse bondit au-devant de ses sauveurs, en agitant la queue et en leur léchant les mains.

— Mousse, qu'est-ce que tu as fait ? gronde Frédérique, vraiment très mécontente du comportement de son chien.

Mousse la regarde d'un air penaud. Il baisse la tête. Pauvre lui : il n'y comprend plus rien. Il est tout content de la revoir, et voilà qu'il se fait gronder pour rien.

Mais Jacques se mord le pouce ; il semble préoccupé.

— Un instant ! Ce n'est pas Mousse qui a fait ça ! annonce-t-il brusquement en posant sa main sur la tête du chien, comme pour s'excuser de l'avoir injustement accusé.

— Jacques, que veux-tu dire ? s'étonne Isabelle, en dévisageant son mari.

— Comment Mousse aurait-il fait pour s'enfermer à double tour tout seul au sous-sol ? Je veux bien croire qu'il est intelligent, mais à ce point-là, c'est pas possible !

Les quatre Deschênes regardent la porte, examinent le verrou et dévisagent le chien.

— Oh, oh ! Des cambrioleurs ! éclate Isabelle.

Elle se précipite aussitôt vers sa chambre pour vérifier si ses bijoux sont toujours dans leur coffret.

— Gigi ! hurle Camille soudain prise de

panique. Ils m'ont volé Gigi ! Je ne la trouve plus !

La petite court partout à travers la maison, en continuant d'appeler son hamster d'une voix stridente.

7

Pierre qui roule...

Camille est désespérée. Elle a beau appeler Gigi sur tous les tons, le hamster ne semble plus être dans la maison.

— Maman, peut-être que les voleurs l'ont laissée s'échapper dehors. Je ne la retrouverai plus jamais, sanglote-t-elle.

— Écoute, Camille, cherche bien. Elle ne peut pas être loin, tente de la consoler Isabelle, tout en remettant un peu d'ordre dans la maison pour déterminer si rien n'a disparu.

Pendant ce temps, Jacques appelle la police pour signaler le cambriolage. Même si rien ne semble avoir été volé, il vaut mieux alerter les autorités.

En maudissant les cambrioleurs entre ses dents, Frédérique range ses livres, ses vêtements, refait son lit. Son cœur bat la chamade.

— C'est pas drôle, pas drôle du tout ! J'aime pas qu'on touche à mes affaires !

Pleurant à chaudes larmes, Camille entreprend de replacer ses vêtements dans le placard et dans la commode.

Elle est en train de ramasser les photos éparpillées de ses chanteurs préférés, quand tout à coup, elle aperçoit une boîte qui bouge sous son pupitre d'écolière. Elle écarquille les yeux, intriguée et un peu effrayée. Mais, la curiosité l'emporte sur la peur. Camille s'approche très lentement et soulève tout doucement la boîte qui avance toute seule. Et là, elle explose de joie :

— Gigi, ma Gigi !

Elle prend son petit animal et le serre très fort contre elle ; elle l'embrasse, le cajole.

— T'as eu peur, ma Gigi, pauvre Gigi ! Camillou est là, mon bébé !

Serrant son hamster contre elle, Camille s'élance vers ses parents qui ramassent les magazines et redressent les cadres sur les murs.

— M'man, papa ! J'ai retrouvé Gigi ! crie-t-elle en sautillant, faisant à nouveau vaciller les cadres que ses parents s'affairent à remettre en place.

— Tant mieux ! s'exclame Isabelle. Finalement, on ne nous a rien volé !

— Je ne comprends pas ce que des voleurs sont venus faire ici, puisqu'ils n'ont rien pris, s'étonne Jacques.

Sur ces entrefaites, la sonnette de l'entrée retentit. C'est la police.

Tandis que l'un des agents fait rapidement le tour de la maison pour voir si les voleurs ne se sont pas cachés dans les parages, l'autre prend la déposition des Deschênes. Mais, puisque rien ne manque, les deux policiers ne s'attardent pas.

— En tout cas, moi, je sens que je ne vais pas bien dormir, lance Frédérique. C'est pas très rassurant de savoir qu'on peut entrer chez nous comme ça !

— Ne crains rien, Frédérique, la réconforte Jacques. Je crois que j'ai un verrou en surplus dans le garage, je vais l'installer pour la nuit et demain à la première heure, je file chez le quincaillier pour acheter des serrures plus sécuritaires.

Peu à peu, le calme revient chez les Deschênes. Vers minuit, tout le monde se met au lit.

Malgré ses dires, Frédérique tombe de sommeil et elle ne tarde pas à s'endormir. Quant à Camille, les émotions ont été si fortes qu'elle s'endort, la tête à peine sur l'oreiller.

✎✎✎

Dès son réveil, Frédérique téléphone à Samuel pour le mettre au courant de la visite des voleurs. Celui-ci saute sur son *skate* et se précipite chez les Deschênes. En chemin, il croise Maxime qui revient de l'épicerie avec un gros sac de biscuits au chocolat, et il lui raconte ce qui s'est passé chez leur amie Frédérique.

— Allons-y ! lui dit Maxime.

Lorsque les deux garçons arrivent chez Frédérique, elle leur relate en détail la surprise qui les attendait la veille, à leur retour à la maison.

— En tout cas, je trouve ça drôle que rien n'ait été volé, commente Samuel en regardant tout autour de lui.

— Hé ! Je pense que vous avez mal regardé, s'exclame soudain Maxime, planté devant le poste de télévision. Regardez, il y avait quelque chose ici. On voit une trace dans la poussière...

Frédérique et Samuel regardent à leur tour.

— Mais oui, bien sûr. C'est là que j'avais déposé le fossile australien que Sonia m'a offert ! s'exclame Frédérique en passant sa main à l'endroit où la pierre devrait se trouver.

— Tes parents l'ont peut-être mis ailleurs, suggère Maxime, tout en jetant un coup d'œil sur la bibliothèque et les étagères remplies de bibelots.

— Le mieux, c'est de leur demander ! réplique Frédérique en se précipitant vers le garage où son père s'affaire à décaper un meuble.

Mais Jacques Deschênes certifie n'avoir pas déplacé la pierre. Isabelle, qui est occupée à sauver un géranium piétiné par les voleurs, déclare ne pas avoir touché au fossile, elle non plus.

— Camille, Camille ! appelle Fred.

Camille est en train de jouer avec ses poupées sur la pelouse, derrière la maison. Elle n'a pas pris le fossile, juré, craché !

— Les voleurs ont dû emporter le fossile, conclut Frédérique.

Sur ces entrefaites, Mousse fait son apparition, en mâchouillant quelque chose.

— Mousse, montre-moi ce que tu as dans la bouche ! ordonne Frédérique en attrapant son chien par son collier.

Elle tente de lui ouvrir la gueule, mais la mâchoire de Mousse est solidement refermée sur son trésor. Forçant du pouce et de l'index, Frédérique parvient à desserrer les dents de son chien.

— Crache, Mousse, crache !

Lorsque sa maîtresse lui parle sur ce ton, Mousse sait qu'il a tout intérêt à obéir, sinon il risque de se prendre un coup de journal sur le museau. Les oreilles basses, il laisse tomber son trésor sur le sol, aux pieds de Frédérique.

Maxime ramasse le papier que Mousse vient de lâcher. C'est un emballage de bonbon au caramel.

— Eh bien ! Je crois que nous savons qui sont les voleurs, avance Frédérique. Il n'y a plus de doute !

— Oui, ajoute Samuel, il y a du professeur Desrochers là-dessous !

Forts de cette nouvelle découverte, Frédérique, Samuel et Maxime vont s'asseoir sur la galerie qui entoure la maison, afin de réfléchir à ce qu'ils doivent faire pour démasquer Louis Desrochers.

— Je trouve ça quand même étrange qu'il vienne te voler un fossile australien alors qu'il peut s'en acheter un ! s'exclame Maxime.

— Je pense que ce fossile australien ne lui est d'aucune utilité. Je crois plutôt qu'il a juste voulu s'assurer qu'on n'avait pas d'autres spécimens qui viennent de Miguasha, explique Frédérique.

— Oui, tu as raison. Il doit croire qu'on en a ramené plusieurs ! ajoute Samuel.

— Je suis d'avis de réunir toute la bande, propose Maxime. Plusieurs têtes valent mieux qu'une, à ce qu'il paraît. Peut-être qu'Olivier ou Anh auront une idée géniale, parce que, moi, pour l'instant, je ne vois pas ce qu'on peut faire !

Réunis dans la chambre de Frédérique, les cinq amis tentent de trouver la meilleure façon de confondre le professeur Desrochers.

— Moi, dans Internet, je peux toujours faire parvenir des messages dans les forums de discussion pour dire qu'il n'a pas trouvé le fossile en France. Mais, je ne sais pas si ce sera suffisant, propose Olivier.

— Je ne pense pas ! On va t'accuser de diffuser de fausses rumeurs et puis, si on s'aperçoit que tu n'as que onze ans, qui va te croire ? répond Anh, toujours très logique.

— On ne peut plus demander à Sonia de nous aider... elle risque de perdre son travail si elle dit du mal d'un important chercheur ! réfléchit Samuel.

La porte de la chambre s'ouvre brusquement. Camille fait irruption dans la pièce.

— Fred... commence-t-elle.

Puis, voyant toute la troupe rassemblée, elle passe de la surprise à la bouderie, fâchée de ne pas faire partie de la conspiration.

— C'est ça, moi, je ne compte pas ! De quoi parlez-vous ? Je suis sûre que c'est du voleur de fossiles...

— Mais non, Camille... euh, on parle de... l'Halloween ! lance Maxime, sans réfléchir.

— Ah, oui ? Eh bien, ça m'intéresse ! s'exclame Camille, en s'asseyant à son tour sur le sol, près de sa sœur. Moi, je vais me déguiser en princesse, avec une robe bleue, une couronne...

Frédérique est désespérée. Maxime a dit exactement ce qu'il ne fallait pas dire. Camille est lancée dans une de ses descriptions qui n'en finissent plus.

— Camille ! intervient Frédérique. Laisse tomber ! On parlait des fossiles...

— Je l'savais ! Vous me cachez toujours tout, à moi ! reprend la petite fille, une moue boudeuse sur les lèvres.

— Bon, alors quelqu'un a-t-il une idée pour prendre Louis Desrochers à son propre jeu ? reprend Frédérique.

Samuel, Olivier, Anh et Maxime se regardent en silence, et secouent la tête. Camille, elle, semble avoir sa petite idée. Ses yeux brillent de malice et un petit sourire se dessine sur son visage.

— Hé, hé ! commence-t-elle. Moi, je sais !

Les autres haussent les sourcils. Frédérique lève les yeux au ciel d'un air qui peut vouloir dire « mêle-toi donc de ce qui te regarde ! »

— Bon ben, si vous ne voulez pas le savoir, moi, je m'en vais ! menace Camille en se relevant, prête à quitter la chambre.

C'est finalement Samuel qui intervient pour la retenir.

— O.K., Camillou, on t'écoute, lui dit-il. Qu'est-ce qu'on a à perdre ? ajoute-t-il à l'intention des autres.

Camille regarde Frédérique. Celle-ci hoche la tête :

— Oui, tu peux y aller !

— Voilà. Le prof s'intéresse aux fossiles... il a piqué celui de Miga... de Mousse, et celui que Sonia a donné à Fred. Alors pourquoi ne pas lui en fournir, des fossiles ? Mais pas des vrais !

Les cinq autres se dévisagent, perplexes. Mais, petit à petit, l'espoir renaît sur leur visage.

— Camillou, t'es géniale ! certifie Olivier en se frappant les mains l'une contre l'autre.

— C'était si évident, qu'on n'y a pas pensé ! ajoute Anh en adressant un clin d'œil à la petite.

— Et tu sais quoi, Camillou ? On va même lui en fournir des vrais, continue Maxime. Laissez-moi faire ! Je sais où en trouver, mais pour ça, il va falloir qu'on vide nos comptes d'épargne, parce que c'est pas gratuit !

L'après-midi même, une centaine de dollars en poche, Maxime se fait conduire par sa mère dans une boutique de fossiles et de cristaux.

— Pourquoi veux-tu acheter autant de pierres ? demande Maryse Beaulieu à son fils.

— Euh ! On a décidé de commencer une collection, ment Maxime en rougissant.

En même temps, il se croise les doigts dans le dos, espérant ainsi conjurer le mauvais sort qui s'abat inévitablement sur les menteurs.

— Écoute, tu fais ce que tu veux de ton argent de poche, mais je pense que tu exagères Max, continue Maryse. Une ou deux pierres, c'est suffisant. Imagine, si dans un mois, ça ne vous intéresse plus. Vous allez vous retrouver avec un tas de roches et vous ne saurez pas quoi en faire !

Mais Maxime s'accroche à son idée.

— D'accord, Max, vas-y ! Moi, pendant ce temps, je vais jeter un œil dans la boutique de décoration à côté, propose Maryse.

Un grand sourire apparaît sur le visage de Maxime. Il est tout fier de pouvoir faire lui-même ses achats.

En pénétrant dans le magasin, il se dirige tout droit vers l'étalage des fossiles. En regardant les prix affichés, il sent son cœur se serrer. Leurs maigres économies ne leur permettront pas d'acheter autant de fossiles qu'ils l'espéraient. La déception se lit sur son visage et le vendeur, interprétant son désarroi, lui propose quelque chose :

— C'est trop cher pour toi, je pense ! Mais si tu veux, regarde dans ce panier, il y a des fossiles en vrac. Il y en a qui sont brisés, mais il y en a d'autres qui sont pas mal. Choisis ceux que tu veux, et on s'arrangera pour que ça rentre dans tes prix.

Fou de joie, Maxime s'empare aussitôt d'une boîte de carton dans laquelle il commence à empiler des fossiles qu'il examine sous toutes les coutures. Au bout d'une dizaine de minutes, il s'arrête enfin. La boîte déborde.

Le vendeur esquisse une petite grimace : il y en a pour bien plus que les cent dollars que Maxime lui tend.

— Bon, allez ! C'est mon jour de générosité aujourd'hui, dit le vendeur. Va pour cent dollars tout net.

Maxime remercie le vendeur et sort de la boutique d'un pas léger. Tout sourire, il rejoint sa mère qui, pendant ce temps, faisait du lèche-vitrine dans un magasin voisin.

Maxime déballe ses trésors sur le lit de Frédérique.

— Maximum ! T'es super ! s'exclame Anh. Je sais pas comment tu t'y prends, mais t'arrives toujours à obtenir le maximum de tout ! Tu portes bien ton surnom !

Aussitôt, les six enfants inspectent les pierres, une à une. Elles sont parfaites pour leur plan.

— Maximum ! Tu as très bien fait ça. Toutes les pierres sont de la même couleur bleutée que celle de Miguasha, remarque Samuel en donnant une bourrade amicale dans le dos de son ami.

— Il ne nous reste plus qu'à faire savoir au professeur que nous avons de nouveaux fossiles de Miguasha en notre possession, conclut Olivier.

— Et ça, je m'en occupe, tranche Frédérique. Je ne voulais plus impliquer Sonia, mais nous n'avons pas le choix. Je lui téléphone tout de suite pour obtenir son aide.

Ce disant, elle se rend au salon et compose le numéro de Sonia Laporte.

— J'espère qu'elle sera là, prie Camille. On est dimanche, elle est peut-être partie voir sa famille ou son petit ami...

À la quatrième sonnerie, Sonia décroche. Frédérique lui explique alors le plan qu'ils ont mijoté depuis le matin.

— Oui, bien sûr ! Avec plaisir, répond Sonia. J'ai moi aussi un compte à régler avec ce professeur Desrochers.

✏✏✏

Le lendemain, Sonia arrive très tôt à l'université. Elle se rend aussitôt dans le laboratoire de géologie et y dépose quelques fossiles dans une boîte. Très minutieusement, elle y inscrit au crayon feutre rouge et en très gros caractères : MIGUASHA.

Puis, elle va rejoindre ses collègues, pour les prévenir du piège qu'elle est en train de tendre.

— L'un d'entre vous peut-il contacter le professeur Desrochers et l'inviter à venir faire un tour dans le labo sous un prétexte ou un autre ? demande-t-elle aux deux professeurs qui sont au courant de sa mésaventure.

— Je m'en charge, répond Paul Dupuis. C'est moi qui t'ai envoyée le voir et je me sens un peu responsable de ce qui t'est arrivé.

— On va lui jouer un tour dont il ne se remettra pas, se félicitent les trois professeurs.

8

Les voleurs seront confondus

Depuis quelques jours, le professeur Desrochers se consacre entièrement à la préparation de l'exposé qu'il doit donner à Miguasha, devant quelques spécialistes de la paléontologie.

— Professeur, un appel de l'université, lui annonce sa secrétaire par l'interphone.

Intrigué, Louis Desrochers hésite à décrocher. Pourvu que ce ne soit pas encore cette Sonia Laporte qui vienne le relancer. Il pensait pourtant l'avoir assez intimidée pour qu'elle ne le rappelle plus.

— Qui est-ce ? demande-t-il à sa secrétaire. Je suis très occupé.

— C'est le professeur Paul Dupuis, répond la secrétaire.

— Paul ! Ça fait longtemps qu'on ne s'est parlé, lance le professeur en décrochant le téléphone. Alors, comme ça, tu enseignes à l'université, maintenant ?

— Oui, ça fait deux ans déjà. Voilà, je t'appelle parce que j'ai appris que tu as découvert un fossile tout à fait exceptionnel en France, réplique Paul, jouant son rôle à la perfection.

Louis Desrochers est sur ses gardes. Tout ce qui touche au fameux fossile le rend mal à l'aise. Est-ce qu'on lui tend un piège ? Il sait bien que Sonia enseigne dans la même université que Paul.

— Voilà, j'ai pensé que tu pourrais venir présenter ta fabuleuse découverte à quelques-uns de mes étudiants passionnés de paléontologie, reprend Paul.

Il sait que le professeur ne pourra pas résister à une telle invitation. Louis Desrochers aime trop étaler son savoir pour refuser. Paul ne s'est pas trompé...

— Mais oui, c'est une excellente idée, répond le professeur avec enthousiasme. C'est très gentil de m'inviter, cela me fera grand plaisir.

— Es-tu prêt, peux-tu venir demain ? s'inquiète Paul.

— Demain ? Oh, mais ma présentation à Miguasha a lieu après-demain, alors je risque d'être assez serré dans le temps, répond le professeur, très hésitant.

— Écoute, viens vers neuf heures, comme ça, tu pourras partir tout de suite après ! insiste Paul.

Il doit absolument convaincre le professeur de venir à l'université, sinon leur plan échouera.

— Bon, d'accord. Mon avion part vers treize heures, j'ai le temps ! D'ailleurs, ce sera une bonne répétition générale avant ma présentation à Miguasha, accepte-t-il finalement avant de saluer son interlocuteur et de raccrocher.

À l'autre bout du fil, Paul se frotte les mains et fait un clin d'œil à Sonia : le professeur est tombé dans le panneau.

✐✐✐

Dans son laboratoire, Louis Desrochers se remet au travail.

— Il faut que je finalise mon texte pour ne pas me faire surprendre par des questions saugrenues... On les connaît les étudiants, il faut toujours qu'ils essaient de nous prendre en défaut... Mais là, je suis extrêmement bien préparé, marmonne-t-il, tout en gribouillant quelques notes sur son calepin.

✐✐✐

Le lendemain, à neuf heures très précises, le professeur Louis Desrochers fait son entrée dans l'un des amphithéâtres de l'université. Une centaine d'étudiants en géologie et en archéologie se sont réunis et l'applaudissent à tout rompre.

Flatté, le professeur se redresse fièrement et serre les mains de jeunes hommes et de jeunes femmes qui le félicitent pour sa découverte.

Parmi les nombreux visages attentifs, Louis Desrochers ne remarque pas celui de Sonia Laporte. Assise au fond de la salle, dissimulée derrière un groupe d'étudiants, la jeune femme écoute attentivement tout ce que raconte le professeur.

Il ment avec un tel aplomb qu'elle en demeure sidérée.

Deux heures plus tard, Louis Desrochers range sa documentation et le fameux fossile dans son sac de cuir. Il sort de l'amphithéâtre sous un tonnerre d'applaudissements. Tout a marché comme sur des roulettes. Il s'est fait très convaincant, et il est maintenant encore plus sûr de lui.

Paul Dupuis l'invite maintenant à venir faire un tour dans les laboratoires du département.

Sonia meurt d'envie de les suivre pour voir l'air du professeur, mais évidemment, ce n'est pas possible. S'il la voit, il sera sur ses gardes. Elle se dépêche donc de regagner son bureau où doivent l'attendre Frédérique et Samuel.

Mais quelle n'est pas sa surprise lorsqu'elle constate que les deux enfants ne sont pas là.

Pressentant le pire, elle entrebâille sa porte pour jeter un coup d'œil dans le corridor. Malheur !

Le professeur Louis Desrochers s'avance en compagnie de Paul Dupuis vers les laboratoires, tandis que dans leur dos, les portes de l'ascenseur s'ouvrent sur Frédérique et Samuel qui discutent à bâtons rompus.

Elle ne peut pas les prévenir, car Paul et Louis se dirigent droit sur elle, son bureau étant adjacent au labo. Elle referme donc la porte et s'y adosse en fermant les yeux. Tout leur plan risque de s'écrouler dans une fraction de seconde.

Frédérique et Samuel, qui n'ont jamais vu Louis Desrochers, ne se doutent pas que l'une des deux personnes qui marchent à grandes enjambées devant eux, est le fameux professeur.

— En tout cas, chuchote Frédérique, j'espère que notre plan va marcher.

— Oui, parce que sinon, je ne vois pas comment nous allons faire pour récupérer ton fossile et faire éclater la vérité, rétorque Samuel.

En entendant la voix des deux enfants dans leur dos, les deux adultes se retournent. Paul est pris au dépourvu. Même s'il ne connaît ni Frédérique ni Samuel, il se doute bien que ce sont les deux enfants que Sonia attend.

— Qu'est-ce que vous faites ici ? demande-t-il d'un ton sévère.

Il n'a vraiment pas le choix d'intervenir. En effet, ce serait vraiment trop louche de laisser deux enfants de onze ans déambuler au hasard dans les couloirs de l'université.

Frédérique et Samuel sont pris de court. Ils n'avaient pas prévu qu'on les intercepterait.

— Euh... nous avons rendez-vous avec Sonia Laporte, répond Frédérique.

À l'annonce de ce nom, le professeur Desrochers change d'air. Son grand sourire s'estompe et ses yeux lancent des flammes. Samuel surprend le regard du professeur qui se pose sur eux. Visiblement, l'homme s'interroge.

— Oui, nous avons rendez-vous avec elle. Nous avons d'autres fossiles à lui donner, lance Samuel, soudainement inspiré.

En entendant cela, Frédérique lui donne un grand coup de coude dans les côtes pour lui imposer le silence, mais Samuel poursuit sur sa lancée :

— J'avais quelques autres fossiles de Miguasha chez moi et j'ai oublié de les mettre dans la boîte que nous lui avons apportée hier.

Paul est sur le point de répliquer, quand tout à coup, la lumière se fait dans son esprit. Samuel est en train de tisser un piège parfait.

— Ah, bon ! Le bureau de Sonia est au bout du corridor, allez-y ! se contente-t-il d'indiquer.

Le professeur Desrochers suit les enfants des yeux, tout en serrant plus fort la poignée du sac où repose le fossile de Miguasha.

Tandis que Frédérique et Samuel pénètrent dans le bureau de Sonia sans frapper, Paul introduit Louis Desrochers dans le laboratoire.

— Es-tu fou, Sam ? gronde Frédérique dès que la porte du bureau se referme derrière eux. Tu sais qui c'est, le type aux cheveux blancs ? Je suis sûre que c'est Louis Desrochers.

— Tu as raison, Frédérique, intervient Sonia, c'est bien lui.

— Pourquoi es-tu allé lui dire qu'on avait d'autres fossiles de Miguasha ? Tu veux qu'il aille cambrioler chez toi, maintenant ? continue Frédérique, très fâchée par l'imprudence de son ami.

— Mais, non. Tu ne comprends pas. S'il croit que nous sommes ici pour apporter de nouveaux fossiles de Miguasha, il ne se méfiera pas du tout de ceux qu'il va découvrir dans quelques minutes dans le labo, explique Samuel, un grand sourire de satisfaction aux lèvres.

Sonia et Frédérique se regardent. Elles viennent de comprendre. Samuel a fait preuve d'une rapidité d'esprit incroyable.

— Alors là, bravo, Samuel ! C'est une idée... lumineuse ! le félicite Sonia. C'est très habile...

Frédérique dévore Samuel des yeux. En plus d'être très mignon, son petit ami est très intelligent. Elle est très fière de lui.

✐✐✐

Pendant ce temps, dans le laboratoire, Paul Dupuis fait la démonstration des nouveaux appareils scientifiques que l'université met à la disposition des professeurs, des élèves et de quelques chercheurs qui viennent faire des analyses dans les locaux.

Louis Desrochers est très impressionné. C'est alors que Paul se saisit d'un fossile dans une boîte de carton, pour le poser sous la lentille d'un des microscopes électroniques. Il invite Louis à y jeter un œil.

Mais Louis Desrochers est sous le choc. Ses yeux ne peuvent se détacher de la boîte de carton et des lettres rouges qui dansent devant lui : MIGUASHA. Le nom du Parc de conservation est écrit là en toutes lettres, et plusieurs fossiles bleutés de toutes grandeurs s'offrent à sa vue... et à sa convoitise.

— Ce sont certainement les fossiles que les enfants ont confié à Sonia, lance Paul Dupuis, comme si de rien n'était.

L'information ne tombe pas dans l'oreille d'un sourd. Louis Desrochers ne parvient plus à détacher son regard de la boîte.

Comme s'il pouvait lire dans les pensées du professeur, Paul Dupuis déclare tout à coup, en regardant sa montre :

— Oh ! pardonne-moi, je dois rencontrer un étudiant dans mon bureau, pour un travail en retard. Je reviens dans cinq minutes. D'ici là, fais comme chez toi. Tu peux te servir des microscopes ou consulter nos données qui sont consignées dans ce rapport.

Paul lui tend un épais dossier, mais le professeur n'y jette qu'un rapide coup d'œil. Ce ne sont pas les notes qui l'intéressent, mais les pierres.

La porte s'est à peine refermée sur Paul que Louis se précipite sur la boîte de fossiles censés venir de Miguasha. Il en tourne quelques-uns entre ses doigts. Ce sont de petits fossiles. Il y a là des restes de plantes et quelques fragments de squelettes de poissons. À première vue, difficile de dire si cela en vaut la peine. Il lui faudrait un peu de temps pour les examiner comme il faut. Mais voilà, le temps, c'est ce qui lui manque.

N'y tenant plus, trop intrigué par les fossiles, il se dit qu'un de plus ou un de moins, personne n'y verra rien.

Il fait donc glisser quelques pierres, parmi les plus marquées, dans son sac. Un, deux, trois fossiles... « et pourquoi pas quatre ? » se dit-il en y en déposant un de plus.

Lorsqu'il relève son sac qu'il avait posé sur un tabouret, celui-ci manque de lui échapper des mains. C'est vraiment lourd.

— Bon, il est temps de filer d'ici ! murmure le professeur en ouvrant la porte du laboratoire.

Avant de sortir, il regarde à droite, puis à gauche... Personne. Il se glisse furtivement dans le couloir et s'en va comme un voleur.

Par la porte légèrement entrebâillée de son bureau, Sonia ainsi que Paul, Frédérique et Samuel regardent Louis Desrochers s'esquiver. Le poids de son sac le fait pencher à droite, même s'il essaie de ne rien laisser paraître.

Les deux enfants et les deux géologues n'osent pas respirer de peur d'attirer l'attention du professeur.

— Fiou ! souffle Frédérique. Tout a marché comme prévu !

Sonia referme doucement sa porte et les quatre conspirateurs éclatent de rire. Ils ont réussi, au-delà même de leurs espérances.

— Je ne sais pas combien il en a pris, mais son sac avait l'air drôlement lourd ! rigole Samuel.

— Attendons encore quelques minutes pour être sûr qu'il est parti et nous irons voir notre boîte à surprise, propose Sonia.

9

Toute une surprise à Miguasha !

Sonia, Paul, Frédérique et Samuel examinent le contenu de leur boîte en se félicitant. Leur piège s'est parfaitement refermé sur Louis Desrochers.

— Bon, maintenant, il n'y a plus de temps à perdre ! Il faut passer à la suite de notre plan, explique Sonia en refermant la boîte.

Paul allume son ordinateur et une série de données apparaît à l'écran.

— J'ai fait l'analyse des fossiles, hier. Et le directeur du département est venu contre-vérifier toutes les données, explique Paul tout en montrant les chiffres qui s'alignent sur son écran. Les fossiles que le professeur a pris portent les numéros 1, 7, 12 et 15. Les deux premiers viennent de Belgique, un autre d'Australie et le dernier du Pérou. Et en plus, ils ne datent pas de la même période que ceux de Miguasha. Ils sont plus récents de plusieurs millions d'années.

— Oups ! il va s'en apercevoir, s'inquiète Samuel.

— Non, pas du tout. Il n'a pas le temps de les analyser. N'oublie pas qu'il prend l'avion dans moins d'une heure pour la Gaspésie et que sa présentation a lieu demain... Il n'a pas le temps de faire les analyses, le rassure Sonia.

— Espérons-le ! murmure Frédérique, parce que sinon, Paul et toi vous risquez de passer un mauvais quart d'heure.

— Nous sommes désolés de vous avoir entraînés dans cette histoire, s'excuse Samuel.

— Mais sans vous, on était vraiment mal pris ! ajoute Frédérique.

— Pas de problèmes, les jeunes. C'est une aventure très palpitante. Et puis, ça fait longtemps que ce professeur Louis Desrochers me tape sur les nerfs, répond Paul. C'était une connaissance de mon père, qui était aussi géologue. Il n'arrêtait pas de dénigrer mon père lorsqu'ils étaient jeunes. Alors, vous comprendrez que je n'ai aujourd'hui aucun remords à le dénoncer pour son vol et ses mensonges.

— Comment allez-vous vous y prendre ? demande Samuel.

— Je ne vous l'ai pas encore dit, mais Antoine Landry, le directeur de Miguasha, est un ami. Nous avons suivi nos cours ensemble. Il va m'écouter, n'ayez aucune crainte pour ça, ajoute Paul en faisant un clin d'œil complice à Sonia.

Le lendemain, à Miguasha, Antoine Landry, François, le guide, et une dizaine de personnes entourent le professeur Louis Desrochers. La présentation a lieu dans la salle d'exposition.

Le professeur commence par raconter comment, par le plus grand des hasards, il a été conduit à mener des fouilles dans une carrière du Nord de la France.

— Ça faisait presque une semaine que nous mettions à jour des fossiles brisés, surtout des coquillages, des oursins, bref pas grand-chose d'intéressant... et puis, je me suis dit qu'on ne fouillait probablement pas au bon niveau... Alors, au risque de tomber et de me briser le cou, je me suis rendu au pied de la falaise. Les gens du voisinage venaient déjà y retirer des fragments de rochers plats qu'ils utilisent comme ornements dans leur jardin. Alors la falaise avait déjà été assez entaillée...

Tandis que Louis Desrochers explique les circonstances de sa découverte, le téléphone cellulaire d'Antoine Landry vient interrompre l'exposé.

— Continuez, continuez, encourage Antoine Landry en s'isolant pour répondre à l'appel sans déranger tout le monde.

— Ah, Paul ! Ça fait plaisir, s'exclame Antoine Landry en reconnaissant la voix de son interlocuteur. Quoi ? Tu es sûr ! Ce n'est pas possible ! D'accord, j'y vais tout de suite !

Lançant un coup d'œil vers le professeur Desrochers qui continue toujours à pavoiser devant un auditoire captif, Antoine Landry se précipite dans son bureau.

Toujours en ligne avec Paul, il reprend la conversation :

— Bon, O.K., je suis prêt, je lance Internet. J'attends ton message.

Au même moment, à l'université, Paul pianote sur le clavier de son ordinateur. Par Internet, il envoie un résumé de tous les événements qui se sont déroulés au cours des derniers mois, depuis que Mousse a ramassé le fossile sur la plage de Miguasha.

— Je te fais aussi parvenir en fichiers joints, toutes les analyses des fossiles que Louis Desrochers a dans son sac. Il va sûrement prétendre qu'il les a trouvés en France, avec son spécimen rare, alors je t'envoie de quoi le confondre, explique Paul.

Sur ce, il appuie sur une touche pour activer l'envoi des fichiers par courrier électronique.

Quelques secondes plus tard, à Miguasha, Antoine Landry confirme la bonne réception des documents.

Les deux spécialistes des fossiles se saluent et coupent leurs communications téléphonique et électronique.

Antoine Landry est sidéré. La lecture des documents ne laisse planer aucun doute : le professeur Desrochers n'est qu'un voleur et un escroc. Pourtant, Antoine Landry est encore incrédule. Si Paul n'était pas son ami depuis des années, il n'y croirait tout simplement pas. Mais là, il n'a aucune raison de mettre la parole de Paul en doute.

Dans la salle d'exposition, Louis Desrochers est bien loin de se douter de ce qui se trame.

En fait, il est tellement pris dans ses mensonges, qu'il est en train de se convaincre lui-même qu'il a trouvé les fossiles en France.

Si les chercheurs et les responsables de Miguasha sont intéressés par les circonstances de la découverte, ils ont par contre bien hâte de voir le spécimen dans toute sa splendeur. Car après tout, voilà des années qu'eux-mêmes cherchent à mettre la main sur cette pièce unique.

— C'est dommage, confie François à une collègue, je suis sûr qu'on aurait fini par mettre la main sur un fossile de ce type ici...

— Oui, c'est vraiment triste. Mais en même temps, c'est assez fabuleux de voir que nos prédictions s'avèrent justes, répond la jeune femme.

Ne désirant plus faire attendre son auditoire, et sachant très bien qu'il a toute leur attention, le professeur exhibe fièrement les fossiles ramassés à l'université.

— Voici d'abord quelques fossiles intéressants de plantes et de poissons que j'ai aussi trouvés en France. Ce sont surtout des fragments, comme vous pouvez le constater, ou alors des fossiles d'animaux assez petits, commence-t-il en faisant circuler les pièces en question.

— Où est donc Antoine ? s'inquiète soudain François. Il va manquer le dévoilement de la pièce maîtresse.

Antoine apparaît alors. À la main, il tient les données scientifiques qu'il vient d'imprimer. Il est furieux et a bien du mal à se contenir. Pourtant, il doit encore faire semblant de croire ce que raconte Louis Desrochers, le temps pour lui de s'assurer que le professeur est bien en train d'exhiber des fossiles achetés dans une boutique. Paul Dupuis y a tracé, à la peinture sombre, un petit numéro que le professeur aurait sûrement vu s'il s'était donné la peine d'examiner les fossiles.

Antoine s'approche et prend à son tour les fossiles entre ses mains. Il glisse un œilleton de bijoutier à son œil droit et observe les pierres afin d'y trouver les numéros compromettants. Il n'a pas à chercher longtemps. Sous la lentille grossissante, les numéros lui sautent au visage.

— Numéros 1, 7, 12 et 15, annonce-t-il très clairement.

Sa voix tonnante et chargée de colère impose immédiatement le silence à tous les gens réunis. Ses collègues de Miguasha le dévisagent. Il se passe quelque chose, mais quoi ?

Louis Desrochers, lui, se sent soudain gêné. Le visage d'Antoine Landry est si fermé, si teinté de fureur, qu'il se dit qu'il a dû commettre une erreur quelque part.

— Louis Desrochers, commence Antoine Landry, oubliant le titre de professeur en cours de route. Pouvez-vous nous expliquer comment des fossiles provenant soi-disant de France, ont été extraits de rochers qu'on ne trouve que sur certaines côtes d'Australie et du Pérou... et de Belgique ? À la rigueur, la France et la Belgique sont assez près l'une de l'autre pour que leurs pierres se ressemblent. Mais l'Australie et le Pérou sont vraiment très éloignés de la France.

Louis Desrochers fronce les sourcils. Qu'est-ce que c'est que cette histoire ? Il demeure figé au milieu de la salle d'exposition tandis que des dizaines de paires d'yeux le fixent d'un air interrogateur.

— Je vais vous expliquer comment c'est possible, reprend Antoine Landry.

D'un ton très ironique, se moquant ouvertement du professeur, il commence à raconter :

— Un jour d'été, trois enfants viennent en visite à Miguasha... Leur chien ramasse un fossile... Les enfants contactent l'université afin de l'expertiser. L'université confie le spécimen au professeur Desrochers. C'est un fossile remarquable. Le professeur se dit que les enfants ont dû en trouver d'autres... À l'université, il découvre des fossiles identifiés au nom de Miguasha. Croyant que les enfants les ont apportés aux fins d'analyse, il les vole. Mais manque de chance pour le professeur, ce sont des fossiles achetés dans un magasin de pierres et cristaux...

En entendant le récit d'Antoine Landry, les spécialistes sont sidérés et se précipitent sur les copies des analyses réalisées à l'université.

Comprenant alors qu'il a été démasqué, Louis Desrochers profite du brouhaha pour se glisser en douce à l'extérieur du musée.

Sans perdre un instant, il saute dans la voiture qu'il a louée à Carleton et démarre à toute vitesse.

Dans sa fuite, Louis Desrochers a cependant oublié son sac de cuir. François, qui vient de s'apercevoir de l'absence du professeur, ramasse le sac et constate qu'un fossile y est encore.

— Je pense que notre fossile nous est revenu ! s'exclame-t-il en sortant la pierre bleutée et en l'exhibant fièrement.

Antoine Landry fait signe à tous les paléontologues de le suivre au laboratoire. Pour en avoir le cœur net, il suffit d'examiner le spécimen sous la loupe de leur microscope.

La pierre est rapidement placée sous la lentille et la caméra vidéo reproduit ses marques sur l'écran géant.

Aussitôt, des cris de surprise et de satisfaction jaillissent des poitrines de tous les gens rassemblés.

— Incroyable ! commence Antoine. Regardez, ce poisson avait deux systèmes respiratoires, lui aussi, comme notre *Scaumenacia curta*.

— Oui, des branchies pour respirer dans l'eau et des poumons pour respirer à la surface... Mais, celui-ci a quelque chose en plus : des nageoires et des embryons de pattes ainsi qu'une colonne vertébrale très solide. C'est tout simplement fantastique ! commente François en suivant les contours des systèmes respiratoires sur l'écran, à l'aide d'une baguette laser.

— Je propose que nous établissions une communication Internet avec l'université, dit Antoine. Je crois qu'il y a deux jeunes qui seront très intéressés par nos commentaires.

François s'installe aussitôt au clavier, tandis qu'Antoine contacte Paul et Sonia par téléphone pour les avertir. Malheureusement, Samuel et Frédérique ont dû quitter l'université. Ils avaient obtenu la permission de ne pas se rendre à l'école en matinée, mais ils ne pouvaient se permettre de manquer aussi l'après-midi.

— Écoutez, examinez le fossile en détail, propose Sonia. Et convenons d'un rendez-vous sur le réseau Internet demain, après l'école. Cela me donnera le temps de rassembler les jeunes. Ils ont bien mérité d'être parmi les premiers à voir leur spécimen.

Épilogue

Le Roi de Miguasha

Frédérique, Samuel, Olivier, Maxime, Anh et Camillou se pressent devant l'écran de l'ordinateur de l'université tandis que Paul s'installe aux commandes.

Grâce au réseau Internet et à un système de caméras, ils vont pouvoir voir, en temps réel, le fossile en train de se faire expertiser à Miguasha.

François se charge de leur raconter l'histoire du nouveau fossile qui n'a pas encore reçu de nom scientifique en latin...

— Moi, je propose qu'on l'appelle le Roi de Miguasha, lance Camille. Il y a un Prince et maintenant un roi.

Tout le monde éclate de rire, mais Camille a raison. Ce spécimen, que jamais personne n'avait réussi à trouver, est bien le Roi de Miguasha.

Quelques semaines plus tard, en ramassant le courrier, Isabelle Deschênes est intriguée par une grosse enveloppe à bulle adressée à Frédérique et Camille.

Lorsque les deux filles reviennent de l'école pour dîner, Isabelle s'empresse de leur donner leur colis. Frédérique décachette l'enveloppe fébrilement. Plongeant la main à l'intérieur, elle en retire un fossile bleuté.

— Fred, mais c'est le Roi, celui de Miguasha ! s'exclame Camille perplexe.

Frédérique se dépêche de lire la lettre qui accompagne le fossile.

> *« Pour vous remercier de nous avoir permis de récupérer notre splendide spécimen, nous vous avons fait tailler cette réplique du Roi de Miguasha. Nous espérons qu'il vous fera plaisir et vous rappellera vos vacances en Gaspésie. Transmettez aussi nos remerciements à Anh, Olivier et Maxime et une belle caresse à Mousse. Ci-joint également, six photos du fossile original, une pour chacun de vous. Le Roi de Miguasha occupe désormais la place d'honneur dans notre musée. Nous espérons que vous*

viendrez lui rendre visite bientôt.

Antoine Landry,

Directeur du Parc de Miguasha. »

— Wow, c'est super ! s'exclame Frédérique. Quand retourne-t-on en Gaspésie, m'man ?

— Bon, eh bien, je crois qu'on vient de trouver notre destination vacances pour l'été prochain, répond Isabelle en déposant une tranche de filet de sole dans l'assiette de ses filles.

— Il n'y a qu'une chose que je n'aime pas beaucoup en Gaspésie, murmure Camille, en émiettant sa sole du bout de sa fourchette. C'est le poisson !

Le savais-tu ?

Où se trouve Miguasha?

• Miguasha se trouve en Gaspésie, dans la région de la Baie-des-Chaleurs. Le Parc est situé dans la municipalité de Nouvelle, en bordure de l'estuaire de la rivière Restigouche, à une quinzaine de kilomètres de Carleton.

• Le Parc a été inauguré en 1985. Près de 40 000 personnes viennent le visiter chaque année. C'est le plus petit parc du réseau des parcs québécois.

• Le site fossilifère en lui-même comprend une falaise de 8 kilomètres de long, sur moins de 500 mètres de large.

Un peu d'histoire :

• Les fossiles de Miguasha remontent au Dévonien, une période qui a eu lieu bien avant l'arrivée des dinosaures, donc bien avant l'apparition des hommes sur la terre.

• Le Dévonien est surnommé « l'âge des poissons ». C'est à cette époque que les poissons ont commencé à passer du milieu aquatique au milieu terrestre. Le Dévonien remonte entre 410 millions et 355 millions d'années.

• En langue micmac, Miguasha se dit « Megoasag » et signifie « pierre rouge », en raison d'une couche de sol rouge qui recouvre une partie de la région.

• Le site des fossiles de Miguasha a été découvert par Abraham Gesner, du service géologique du Nouveau-Brunswick, en 1842, alors qu'il effectuait des recherches pour trouver du charbon.

• Lorsqu'il a découvert le poisson fossile du *Bothriolepis*, Gesner a cru que c'était les restes d'une tortue fossile.

• Ce n'est que 37 ans plus tard, soit en 1879, que des chercheurs de la Commission géologique du Canada à Montréal ont redécouvert le site.

• Au début du XXe siècle, ce sont surtout des chercheurs anglais, américains et suédois qui étudient Miguasha. Une équipe suédoise a même prélevé jusqu'à 30 tonnes de roc, contenant environ 1 200 fossiles.

- Pour cette raison, on peut voir des fossiles venant de Miguasha dans les grands musées du monde, par exemple au Natural History Museum de Grande-Bretagne, mais aussi au Naturhistoriska Ritsmuseett de Stockholm (Suède), au Royal Scottish Museum d'Édimbourg en Écosse et à l'American Museum of Natural History de New York (États-Unis).

- Les chercheurs du Québec n'ont commencé à s'intéresser au site qu'en 1937.

- C'est en 1978 que le gouvernement du Québec ouvre un centre d'interprétation à Miguasha, permettant ainsi au public de mieux comprendre les origines de la vie.

- La paléontologie est la science des êtres vivants ayant existé au cours des temps géologiques, et qui est fondée sur l'étude des fossiles (*Le Robert Quotidien*, 1996).

Le site des fossiles :

• Le site permet de voir qu'il y a eu une abondante végétation préhistorique dans la région. Végétation surtout composée de fougères, dont certaines espèces pouvaient atteindre jusqu'à 10 mètres de hauteur. Les plantes poussaient au bord des lacs, des rivières et de l'estuaire.

• Chaque année, entre quatre et cinq cents fossiles sont découverts sur la plage au pied de la falaise de Miguasha. Mais, puisqu'il s'agit d'un parc de conservation, il est interdit au public d'en ramasser ou d'en détacher de la falaise pour les ramener chez eux.

• Il existe deux manières de faire des fouilles à Miguasha. La première, appelée « fouilles de surface », consiste à ramasser des fossiles (plantes ou poissons) sur la plage. L'autre est appelée « fouilles par excavation » et se fait à l'aide de pelles, de pics, de marteaux ou de tout autre outil permettant d'extraire les fossiles de la falaise.

Que trouve-t-on à Miguasha ?

• Au fil des ans, les paléontologues ont trouvé à Miguasha, plus d'une vingtaine d'espèces de poissons, 5 espèces d'invertébrés, 9 espèces de plantes et 66 variétés de spores.

• Les *agnathes* (poissons sans mâchoires) : D'après les spécialistes, plusieurs d'entre eux vivaient au fond de l'eau. Certains spécimens ont un corps allongé, d'autres n'ont pas d'écailles.

• Les *placodermes* (la peau recouverte de plaques osseuses) : Une partie du corps, la tête et les nageoires avant de ces poissons sont recouverts de plusieurs plaques osseuses, un peu comme une carapace. C'est pour cette raison que lorsqu'il a découvert un placoderme en 1842, Abraham Gesner a cru que c'était une tortue.

• Les *acanthodiens* (poissons à épines) : Des épines rigides et pointues soutiennent un voile d'écailles en forme de losange. Quatre différents spécimens ont été découverts à Miguasha. Tous les acanthodiens ont disparu de notre planète. Ils se nourissaient en filtrant les micro-organismes présents dans l'eau.

• Les *actinoptérygiens* (poissons à nageoires rayonnées) : Ce sont les aïeux de la plupart de nos poissons actuels, par exemple du saumon de l'Atlantique, de la morue, de la sole, du thon. Ces poissons avaient des dents très acérées. Ils étaient fort redoutables.

• Les *sarcoptérygiens* (ayant des nageoires charnues) : Les êtres humains sont des membres de cette grande famille. Les poissons qui font partie de cette famille possèdent des poumons, des narines internes, des vertèbres robustes, et surtout un os dans les nageoires. « Le Prince de Miguasha », l'*Eusthenopteron foordi*, fait partie de la famille.

Dans cette famille, on distingue aussi les *dipneustes* (poissons à deux systèmes respiratoires). Il existe encore de tels poissons vivants en Amérique du Sud, en Afrique et en Australie. Ils possèdent des branchies pour respirer dans l'eau et des poumons pour respirer à la surface.

Il y a aussi les surprenants *coelacanthes*. Les chercheurs pensaient que cette espèce était éteinte depuis 65 millions d'années, lorsqu'en 1938, en Afrique de l'est, on fit, par hasard, l'étrange découverte de l'un de ses descendants, bien vivant, lui. Depuis, il est baptisé le fossile vivant. Miguasha possède le fossile d'un coelacanthe, le *Miguashaia bureaui*, considéré comme l'espèce la plus primitive du groupe.

• Du côté des invertébrés, les visiteurs peuvent admirer le *Pataloscorpio bureaui*, le fossile du premier scorpion terrestre. Et pour la flore, Miguasha expose, entre autres, la fougère arborescente *Archaeopteris halliana*, considérée par plusieurs comme l'ancêtre des conifères.

• Il y a tant à voir qu'on ne peut pas tout nommer ici. Disons qu'à Miguasha, près de 20 000 fossiles attendent les visiteurs.

Si, comme Olivier Chabot, un des héros de Aventures et Compagnie, tu es un(e) branché(e) d'Internet, lis ce qui suit :

• Le parc de Miguasha

http://www.mef.gouv.qc.ca/fr/parc_que/miguasha/miguasha.htm

• Pour visiter la Gaspésie

http://www.atoutmicro.ca/attraits/attrai02.htm

http://www.ojori.com/pleinair/fr02.htm

http://ecoroute.uqcn.qc.ca/envir/mhum/r1/123.htm

http://www.gaspesie.qc.ca/

• Pour en savoir plus sur les fossiles et la paléontologie

Au Québec :

http://www.rlcst.qc.ca/ (les fossiles du lac Témiscamingue)

http://www.quebecscience.qc.ca/poil9612.htm (Québec-Science)

En France :

http://www.cnrs.fr/Cnrspresse/n07a14.html
(Centre national de la recherche scientifique)

http://perso.club-internet.fr/bigdd/
(Les ammonites de Normandie)

http://www.interpc.fr/mapage/dedale/ecoles.htm
(voir la section Sciences-Cyberscol)

• Et puisque les os de dinosaures sont des fossiles :

http://www.globetrotter.qc.ca/escale/dinos/

Remerciements

L'auteure tient à remercier Richard Cloutier, paléontologue, responsable de la mise en valeur du milieu, Donna Murphy, responsable de l'accueil, et Johanne Kerr, responsable de la collection, Parc de Miguasha, Gaspésie.